EL NIÑO Y SU MUNDO
- -

EL NIÑO Y SU MUNDO

Por una infancia en libertad

Limita el tiempo que tus hijos pasan ante una pantalla

Martin Large

Ilustraciones de Kate Sheppard

ONIRO

Título original: *Set Free Childhood*
Publicado en inglés por Hawthorn Press, UK

Traducción de María Dolores Ábalos

Diseño de cubierta: Valerio Viano

Ilustración de cubierta e interiores: © Kate Sheppard

Distribución exclusiva:
Ediciones Paidós Ibérica, S.A.
Mariano Cubí 92 - 08021 Barcelona - España
Editorial Paidós, S.A.I.C.F.
Defensa 599 - 1065 Buenos Aires - Argentina
Editorial Paidós Mexicana, S.A.
Rubén Darío 118, col. Moderna - 03510 México D.F. - México

© Hawthorn Press, Hawthorn House, 1 Lansdown Lane, Stroud, Gloucestershire, UK, www.hawthornpress.com

© 2006 exclusivo de todas las ediciones en lengua española:
Ediciones Oniro, S.A.
Muntaner 261, 3.º 2.ª - 08021 Barcelona - España
(oniro@edicionesoniro.com - www.edicionesoniro.com)

ISBN: 84-9754-244-4
Depósito legal: B-39.776-2006

Impreso en Hurope, S.L.
Lima, 3 bis - 08030 Barcelona

Impreso en España - *Printed in Spain*

Índice

Agradecimientos

Muchas gracias a las siguientes personas, por su información y apoyo: John Travers, Fenya Hancock, Ewout van-Manen, Faith Hall, Roald Dahl, Sally Jenkinson, Christopher Clouder, Susan Linn, Joan Almon, Lars Maren, Hans Sand, Jane Healy, Dave Grossman, Tim Coombs, Alex Murrell, John Gush, Aonghus Gordon, Mario Peters, David Hubbard, Keit Buzzell, Dorothy Singer, Jane Gerhard, Daniel Large, Judy Large, Nathan Large, Emily Fridenskold, Russell Evans y muchos otros.

Un agradecimiento muy especial para el equipo de Hawthorn Press, compuesto por Rachel Jenkins, directora; Frances Fineran, del departamento de diseño; Lynda McGill, de ventas, y Alan Lord, de contabilidad, y sobre todo a Richard House, editor de la serie Early Years, por su minuciosa edición y su apoyo.

Prólogo

«La televisión corrompe el cerebro.» Así hablaba mi sobrino de 6 años para explicarme por qué había escondido el mando a distancia de la televisión de su abuelo. Ese mismo sentimiento expresaba otro niño de 6 años de mi parvulario cuando un amigo le preguntó por qué no tenía televisión. Aunque fueran de una generación distinta, habían llegado a la misma conclusión. Con cierto pesimismo, se podría deducir que nada ha cambiado mucho en los 30 últimos años en lo relativo a los niños y la televisión.

Pero en realidad sí han cambiado algunas cosas, aunque en sentidos opuestos. Por un lado, los niños de Estados Unidos están sentados delante de una pantalla más horas que nunca, si se suma el tiempo que pasan con la televisión, el ordenador y viendo películas. Eso supone que son más sedentarios y más obesos, con el resultado de que un número alarmante de ellos padecen diabetes del tipo II, trastorno que solía denominarse «diabetes asociada a la edad», un mal de las personas sedentarias mayores de 60 años. Ahora está aumentando en proporciones epidémicas entre los niños y los adolescentes.

Por otro lado, se es más consciente que antes de que el tiempo que pasan los niños delante de una pantalla no es sano para ellos, y no sólo desde el punto de vista físico, sino también social. Además de impedir la necesidad de los niños de moverse y estar activos, disminuye su imaginación y su creatividad. En Estados Unidos, cada vez se ven más pegatinas en los parachoques de los coches —lo cual siempre es una señal de la dirección en que está evolucionando la conciencia pública— abogando por la muerte de la televisión. «Mata tu tele», dicen ahora algunas de esas pegatinas.

Mi principal preocupación con respecto a la exposición de los niños a los medios audiovisuales tiene que ver con la cuestión de cómo cultivan y desarrollan sus plenas capacidades humanas, y con las numerosas maneras en que nuestra cultura se lo impide. Para que los niños se desarrollen bien necesitan adultos afectuosos con los que tengan mucho contacto y que les animen a desarrollar todas sus habilidades humanas, tanto mentales como sociales, emocionales y físicas. Ni siquiera el mejor de los programas de los medios puede inspirar a los niños tanto como un adulto cariñoso. Sin embargo, con demasiada frecuencia los adultos recurren a los medios para que hagan de canguro de sus hijos. A menudo se sienten culpables por ello, pues saben que los medios audiovisuales no son un sustituto de su propia atención y cuidado; pero las presiones de la vida les llevan a hacerlo de todas maneras. ¿Y cuál es el resultado?

Hace más de 30 años empecé a trabajar con niños pequeños como maestro de preescolar o parvulario. Cuando comencé, mucha gente me decía que me iba a encantar trabajar con niños pequeños por lo francos e imitadores que son. Luego me encontré con que esa franqueza era característica de aproximadamente la mitad de los niños, pero ¿qué pasaba con la otra mitad? Cada uno a su manera, eran cautelosos y cerrados; les costaba trabajo abrirse a mí o a los demás. En el caso de algunos esa conducta resultaba comprensible, ya que su vida familiar era penosa y difícil. Poco a poco fuimos logrando que esos niños se sintieran a gusto y protegidos, y entonces empezaron a mostrarse más abiertos. Pero había otros que suponían un desafío aún mayor, porque no existía ninguna razón obvia para que fuera tan difícil encontrar al verdadero niño que se ocultaba tras ellos y ayudarlo o ayudarla a avanzar y a «emerger».

Con frecuencia, éstos eran los niños que veían mucho la televisión. Cuando empecé a adquirir más confianza en mi diagnóstico, me puse a trabajar con familias, de una en una, dispuestas a apagar la televisión y ver si se notaba alguna diferencia. Sus experiencias fueron asombrosas, y el comentario más común que me hacían era: «Hasta ahora no sabía qué hijo más maravilloso tenía». En preescolar, normalmente me daba cuenta de la diferencia en el plazo de una semana; entonces el «niño oculto» emergía de nuevo.

El ejemplo más impresionante fue un chico llamado Tony. Para su edad era fuerte y podía ser bastante agresivo con los otros chicos. Siempre parecía sentirse atacado y sus juegos estaban llenos de monstruos, tiburones y otras violentas criaturas que intentaban destruirle. ¡No es extraño que reaccionara mediante la agresión! Después de unas cuantas conversaciones conmigo acerca de la situación, su madre hizo un gran esfuerzo y le recortó significativamente el tiempo de ver la televisión. Y pude ver la diferencia casi inmediatamente. Los escenarios de sus juegos pasaron a ser menos amenazadores, y su conducta con respecto a los otros niños y a los adultos se volvió más sociable. Ahora Tony estaba emergiendo. Sin embargo, luego se marchó una semana con su madre a visitar a sus abuelos, que, como tantos americanos, tenían la televisión puesta de la mañana a la noche.

Tony volvió al preescolar lleno de temor y agresividad. Al cabo de una o dos semanas se calmó, pero a los pocos meses volvió a pasar una semana con sus abuelos. Entonces sus juegos volvieron a tener escenarios aterradores. Durante ese año fue tres veces a visitar a sus abuelos, y cada vez que volvía, sus patrones de conducta eran los mismos. Se podría haber dibujado un gráfico de su conducta de juego mostrando los continuos avances y los abruptos retrocesos que experimentaba cada vez que se exponía a tanta televisión.

Creo que Tony no es, ni mucho menos, un caso único. Muchos niños reaccionan ante el tiempo que pasan delante de una pantalla exactamente igual que él: volviéndose más vulnerables y, por lo tanto, respondiendo con agresividad. Otros se vuelven más reservados y se encierran en sí mismos. Las horas de pantalla afectan a los niños de diferentes maneras, y lo que cada niño sea capaz de tolerar varía en función de cuántos otros factores de estrés estén presentes en su vida. Yo ahora considero los medios audiovisuales, incluido el ordenador, como factores estresantes en la vida del niño. Un muchacho perfectamente sano puede tolerar cierta cantidad de estrés, pero la mayor parte de los niños de hoy ya experimentan demasiado estrés en sus casas, en los programas de atención infantil o en los colegios. Para ellos hasta una breve exposición a los medios puede ser demasiado.

Cuando descubrí el efecto que producen los medios audiovisuales en la vida de cada niño, empecé a preguntarme cómo afectaría eso a las familias y a la sociedad en general. La revelación me vino durante un viaje a Ecuador, donde viví con una familia encantadora durante un mes. Cada noche, después de cenar, toda la familia se reunía en el dormitorio de los padres y se acurrucaba en la cama y en los sillones para ver juntos la telenovela durante una hora. El calor y el disfrute de la compañía mutua era similar al que se experimentaba alrededor de la mesa del comedor tres veces al día. Sin embargo, me llamó la atención que no se miraran unos a otros como lo hacían cuando estaban sentados a la mesa. Todos se limitaban a mirar fijamente la pantalla. En ello pude ver una terrible profecía: Pronto, los hijos en edad universitaria querrían una televisión en su cuarto, luego la hija adolescente y, finalmente, el niño de preescolar. Entonces la familia estaría verdaderamente americanizada, lo que significaba que ya no se abrazarían unos a otros, sino que se quedarían mirando embobados la pantalla durante varias horas al día. ¡Qué gran pérdida!

Otra revelación sobre el impacto que puede provocar la televisión en un país entero me vino en Tanzania, un país precioso que visité por primera vez hace casi diez años. Con anterioridad, había trabajado con las escuelas Waldorf en África del Sur y en Kenia y me había enamorado de África y del afecto de los africanos. En Tanzania, sin embargo, había un elemento añadido que me resultaba difícil de concretar. En ese primer viaje conocí a muchos adultos, y mi experiencia casi siempre era la misma: unos breves momentos de reserva y cortesía mientras nos formábamos esa primera impresión tan importante y, luego, una amable franqueza por su parte que permitía entablar conversaciones profundas y reveladoramente humanas, muchas de las cuales todavía resuenan en mi interior. Eran el tipo de conversaciones que aquí, en Estados Unidos, o en Europa sólo surgen ocasionalmente y que guardo en la memoria como un tesoro. En Tanzania, en cambio, surgían a diario, y muchas veces al día. ¿Cómo es eso posible?, me preguntaba. Más tarde me enteré de que la televisión había sido autorizada en el país hacía sólo tres años; hasta entonces había estado prohibida. Los adultos con los que me reunía no se habían criado con la televisión. Eran genuinos seres humanos que se comportaban de una manera clara y abierta, tal como deberíamos comportarnos en realidad.

Intenté hablarles de los efectos de la televisión, especialmente en sus hijos, pero la experiencia era tan reciente que todavía no eran capaces de verle el lado negativo. Cuando volví al cabo de unos años, muchos padres y profesores empezaban a expresar su preocupación, pues veían que sus jóvenes eran cada vez más agresivos y violentos y se preguntaban si aquello podría deberse a que pasaban más tiempo viendo la televisión. La respuesta, casi con total certeza, es «sí», como lo demuestra un estudio del Dr. Brandon Centerwell, un epidemiólogo de la Universidad de Washington (cuyas investigaciones se citan más adelante en este libro). Estudió los patrones de homicidio en Estados Unidos, Canadá y África del Sur durante un período de 40 años y halló una clara relación entre el aumento de las horas de televisión y el incremento de la violencia en un país[1].

En mis momentos más desoladores me pregunto qué provocará que todos adquiramos conciencia de los efectos negativos que ejercen los medios de comunicación en nuestras vidas. No es que tengamos que prohibirlos para siempre, sino más bien que aprendamos a verlos como vemos el alcohol. Algunos toleran cantidades moderadas, mientras que otros han de abstenerse por completo. Nadie se beneficia de tomar grandes cantidades, y la adicción es un desastre para el individuo, la familia y la sociedad. Ver los medios audiovisuales es lo mismo y, sin embargo, acostumbramos a nuestros hijos a que consuman grandes cantidades dándoles nuestra bendición.

Indudablemente, ha llegado la hora de cambiar de conducta, y mi mayor esperanza es que este libro contribuya a que se produzcan tales cambios.

JOAN ALMON
Coordinador de la US Alliance for Childhood

1. La televisión, los ordenadores y la era de la sobrecarga electrónica

Los niños se toman su tiempo para crecer. Pese a que cada niño es único, el desarrollo vital —aprender a andar, a hablar y a pensar en los tres primeros años— tiene lugar paso a paso. Pero mientras que las etapas y los episodios del crecimiento y del desarrollo de los niños no han variado esencialmente en miles de años, por primera vez en la historia de la humanidad los bebés y los niños están ahora expuestos al ritmo rápido, a veces frenético, de la tecnología moderna. Así como las necesidades de los niños han permanecido relativamente inalterables —por ejemplo, la necesidad de relaciones afectuosas, buenos alimentos, tiempo para aprender y jugar, y un entorno familiar de ritmo pausado—, el mundo va acelerándose inexorablemente. El resultado puede ser que los niños sencillamente ya no tengan una infancia.

Estamos viendo bebés a los que se los obliga a utilizar un programa de ordenador que promete aumentar la inteligencia. Ver los *Teletubbies* se supone que mejora el lenguaje de los más pequeños; de ahí que se oiga corear «¡oh, ah!» en el vagón del tren. Los programas de televisión, diseñados ya para que los niños no despeguen los ojos de la tele, ceden el paso a juegos de ordenador interactivos que están orientados a que los niños se enganchen a la ficción... e incordien continuamente a sus padres para que les compren más y más. Cada vez se utilizan más medios audiovisuales electrónicos en los colegios, no sólo como herramienta, sino también como sustitución de los profesores, y los directores de marketing de compañías como Microsoft y MTV reivindican «poseer las mentes de los niños». Al mismo tiempo, las investigaciones muestran que el medio electrónico de la televisión —o tubo de rayos catódicos— únicamente sirve para tener acceso libre a las mentes de los niños. Y el contenido, ya sean anuncios o programas inapropiados, puede tener una poderosa influencia en la conducta, como veremos más adelante en este libro.

Pongamos por ejemplo a un bebé de seis meses que no se podía tranquilizar y quedarse dormido. O la clase de niños de siete años a la que le costaba trabajo concentrarse. O al niño de cinco años que tenía pesadillas y padecía una severa ansiedad. O al que apenas sabía hablar y sólo decía «¡bang, bang!». En todos estos ejemplos, y en otros que veremos más adelante, los niños empezaron a prosperar en cuanto los padres y los profesores decidieron prescindir de las pantallas.

Sin embargo, el ritmo de innovación de los medios electrónicos se está acelerando: cada vez se fabrican televisores y productos para ordenadores más sofisticados para atraer a los bebés y a los niños, y a los padres se les asegura que programas del tipo de los *Teletubbies* son entretenidos y «didácticos». Lo cierto es que, hasta la fecha, no existen pruebas concluyentes que corroboren esas reivindicaciones dudosamente educativas que se hacen de tales programas de la televisión infantil.

De todo esto se puede sacar la conclusión de que *las necesidades de los niños pequeños y la demanda de los medios electrónicos van rumbo al enfrentamiento...*, de lo cual salen perdiendo, en todos los sentidos, los niños y la infancia. El resultado es una epidemia de dificultades en el aprendizaje, un desencadenamiento del poder de incordiar (pidiendo cosas insistentemente), un aumento de la conducta antisociable, problemas alimentarios, insomnio, retraso en el lenguaje, una sensación general de insatisfacción y toda una serie de problemas emocionales.

No obstante, a los padres se les puede ayudar a que contrarresten los efectos que los medios electrónicos ejercen sobre sus hijos. El propósito de este libro es analizar las mejores investigaciones disponibles acerca de los riesgos de los medios electrónicos, de modo que usted pueda estar informado a la hora de elegir lo mejor para su hijo. Desde el punto de vista de los principios del desarrollo de un niño sano, sostengo que antes de los 7 años cuantos menos medios electrónicos usen los niños mejor; no obstante, sugeriré maneras constructivas de enfrentarse a la televisión y a los ordenadores para los mayores de 7 años, de modo que usted pueda hacer el mejor uso de ellos cuando sus hijos sean lo bastante mayores como para sacarles provecho. Por último, sugeriré cómo podemos hacer campaña en contra de la flagrante comercialización de la infancia, lo cual es un rasgo distintivo que define la cultura occidental moderna.

Muchos padres están muy preocupados por los efectos que la sobrecarga electrónica, inducida por los ordenadores y la televisión, pueda tener en sus hijos. También les preocupan los efectos intoxicantes del entorno comercial, ya que los directores de marketing saturan a los niños de anuncios con el firme propósito de crear y «capturar» consumidores de por vida. La industria alimentaria vincula los refrescos, la comida basura y las bebidas deportivas con las películas, los videojuegos, los vídeos, los juguetes y la gente famosa. Existen «gaseosas sonoras» o «caramelos calientes» que son «golosinas interactivas», entre las que destaca un pirulí con una palanca que funciona con pilas: el pirulí da vueltas cuando «tu lengua lo pone en marcha».

El inexorable aumento del marketing agresivo orientado a los niños pequeños durante los últimos diez años se ha convertido en un peligro público para la salud, según afirma Susan Linn, de la Facultad de Medicina de Harvard. Linn ve un vínculo directo entre esos fenómenos de marketing y la intoxicación comercial que crean, por un lado, y los altísimos niveles de obesidad infantil y diabetes del tipo II, por otro lado. Los niños están siendo literalmente inundados de marketing: en Estados Unidos, por ejemplo, ven más de 40.000 anuncios al año sólo en la televisión, y la cantidad gastada en anuncios dirigidos a los niños ha pasado de 6,2 billones de dólares en 1992 a 12,2 billones en 1999. Linn señala que «el riesgo de que un niño de preescolar sea obeso aumenta por cada hora que vea la televisión al día. Si tiene un televisor en su dormitorio, las probabilidades de ser obeso aumentan un 31 % por hora de televisión consumida.»[1]

Una de las principales armas dentro del juego de herramientas de los directores de marketing es la del *poder de incordiar*: que los niños insistan una y otra vez a los padres para que les compren cosas (lo que alcanza su punto culminante en los días que preceden a las Navidades). Sin embargo, cada vez hay más padres y puericultores que se oponen activamente a ese «agotar las existencias» de los niños. Por ejemplo, en la Cumbre sobre la Comercialización de la Infancia en la Ciudad de Nueva York de septiembre de 2002, Alvin Poussaint, de la Stop Commercial Exploitation of Children Coalition (SCEC), de la Harvard Medical School, decía de los anuncios dirigidos a niños que «... la tendencia se está acelerando, y ya es hora de que respondamos seriamente al impacto que provoca el marketing en nuestros ciudadanos más vulnerables: los niños».[2] Y Michael Brody, de la American Academy of Child and Adolescent Psychiatry, decía: «Los directores de marketing se han vuelto tan expertos en niños como los pedófilos».[3]

Esta violenta embestida comercial —dominada por la televisión— sobre los niños pequeños apenas tiene precedentes. Sin embargo, tanto los padres como los educadores están estableciendo cada vez más conexiones entre ese nocivo entorno comercial y el reciente aumento en la incidencia de dificultades de aprendizaje, problemas de atención, ansiedad, dificultades para conciliar el sueño, trastornos alimentarios, conducta antisociable y deterioro del lenguaje entre los niños. Como dice Michael Brody: «El niño enfermo telespectador y consumidor ha reemplazado al niño sano que jugaba, hacía deporte y desarrollaba la imaginación».

¿Qué significa todo esto para usted y para su hijo? Para una madre significaba que los niños se crían poco dispuestos a imaginar e inventarse historias, y prefieren la imágenes fabricadas en serie de las películas. Un niño pequeño le preguntó qué pensaba de la película de Harry Potter y ella respondió que todavía no la había visto, pero que de todos modos prefería extraer de la lectura del libro sus propias imágenes. A lo que el niño contestó: «Es mejor que veas la película porque entonces extraerás las imágenes verdaderas, las que la autora quería que tuvieras. De lo contrario, cometes una injusticia con ella».

Otros padres se van dando cuenta de que cuantos menos vídeos y televisiones tengan, menos se enfrentan a problemas infantiles con la conducta. Reconocen que gran parte de la televisión y de los video-juegos están especialmente diseñados para poner nerviosos a los ni-ños, de modo que se vuelvan más ávidos y sientan necesidad de con-sumir más. Entonces el resultado es que los hijos piden a sus padres más cosas para entretenerse y estimularse, o que les compren produc-tos caros y comida basura... para tranquilizarse después de haber visto programas irritantes. Uno de los principales efectos que ejerce la publicidad en los niños es que sienten una punzante sensación de in-satisfacción, como si a sus vidas les faltara algo.

En lo que a mí respecta, gracias a que vivo en Gloucestershire, es-toy agradecido por el maravilloso entorno que ha creado esta parte es-pecial de Inglaterra para que crezcan nuestros cuatro hijos. Esta zona de Inglaterra ha inspirado también a escritores como J. K. Rowling, Dennis Potter, J. R. R. Tolkien y Laurie Lee. J. K. Rowling, por ejem-plo, se crió en el Forest of Dean. Según ella, ese maravilloso bosque salvaje (que también sirvió de inspiración al bosque de Fangor, de *El Señor de los Anillos*, y a las colinas que Dennis Potter recuerda con nos-talgia de su infancia) era un marco inspirador. El no tener nada que hacer —pasó la infancia y diez años más relativamente aislada de todo tipo de cultura mediática acelerada— la ayudó a estimular la imagi-nación. El silencio, los paseos por el bosque, las trastadas del verdade-ro chico que le sirvió de «modelo» para Harry Potter, las leyendas lo-cales, el espacio libre para la infancia: todo eso fue crucial para ella. Cada uno de esos afamados escritores describe su infancia de un modo parecido, calificándola de pausada, con mucho tiempo para so-ñar y llena de ricas experiencias que atesorar para toda la vida.

Sus inspirados libros proporcionan sentido y alimento para el alma. Los de Harry Potter, por ejemplo, demuestran lo popular que puede ser una buena historia tanto para niños como para adultos. Pero con las películas, el videojuego «Ábrete camino hacia la cámara de los secretos», la comida basura e incluso la Coca-Cola asociada al libro, Harry Potter ha encauzado tristemente las mentes de los niños hacia los intereses comerciales. Lamento profundamente la erosión de la infancia debida al ataque violento e implacable de la comerciali-zación, al materialismo despiadado y a un estilo de vida frenético que, como se ha demostrado, intoxican a los niños de todas las ma-neras posibles. Sin embargo, los padres sí podemos optar por limitar a nuestros hijos el acceso a los medios audiovisuales, y también podemos contrarrestar el mundo intoxicado de los medios electrónicos de comunicación de masas. Pero esa opción significa inevitablemente enfrentarse al *Zeitgeist* (»espíritu de los tiempos»), que es primordialmente comercial y político.

¿Padece usted o su familia la moderna enfermedad tecnológica de la *sobrecarga informativa*? ¿Sale su familia adelante, se limita a sobrevivir o sucumbe a la fatiga informativa? Cuando se va de vacaciones y deja atrás los medios audiovisuales electrónicos, ¿nota que es capaz de relajarse?

Piense en su dosis diaria de televisión, e-mails, navegar por Internet, noticias y anuncios. Estamos expuestos a un diluvio de información, a cientos, si no miles, de *mensajes publicitarios cada día*[4]. Al mismo tiempo, hay una proliferación de fenómenos relacionados con el ordenador y la televisión como el estrés, la vista fatigada, las dificultades de sueño, la obesidad infantil, el síndrome del *couch potato* (no despegarse del televisor), los «daños causados por los esfuerzos reiterados» (RSI) e incapacidades en el aprendizaje como el denominado «trastorno de hiperactividad con déficit de atención» (THDA) entre los niños. El propio Ted Turner, de la CNN, en la campaña de lanzamiento de su nuevo Customs News Service, dijo que la «contaminación informativa» había ido demasiado lejos y declaró dramáticamente que estaba «matando a la gente».

Además, todavía falta mucho por llegar, teniendo en cuenta que la tecnología informativa se va volviendo cada vez más sofisticada, que los precios bajan y que cada vez accede más gente a ella. Políticos como el ex presidente Bill Clinton y el primer ministro británico Tony Blair quieren que cada alumno del colegio tenga un ordenador en su pupitre. Parémonos a considerar el uso generalizado de videojuegos portátiles, ordenadores conectados a la Red, teléfonos móviles con vídeo y acceso a Internet y los cientos de canales que ofrece la televisión digital. Todo eso está convirtiéndose en una «cultura de la pantalla» presente en los dormitorios de los niños y fomentada por la tecnología, por la cantidad de dinero que invierten los padres en medios audiovisuales electrónicos para sus hijos, y por los temores mediáticos hacia «los peligros de la calle»; todos estos aspectos serán examinados más adelante en este libro.

¡Qué lejos quedan los días en que mandar a los niños a la cama se consideraba un castigo! Antes, el televisor del cuarto de estar era el foco central de la vida familiar, pero hoy ver la tele se ha «individualizado» y ha pasado a ser algo propio de los dormitorios, donde ahora florece lo que antes eran los retoños de la cultura de la pantalla. En Gran Bretaña, más de una tercera parte (el 36%) de los niños menores de 4 años tiene un televisor en su dormitorio[5]... y la cifra está aumentando vertiginosamente. Más del 70% de los niños de 6 a 17 años tienen televisión y vídeo en el dormitorio, y el 36% posee además un ordenador. El 72% de los niños tiene su propio dormitorio, el 68% su propio equipo de música, el 34% tiene un controlador de videojuegos conectado a la televisión, y el 21% un vídeo[6].

De acuerdo con el informe *Young People, New Media* —el primer estudio realizado durante 40 años sobre el uso de los medios audiovisuales por niños de 6 a 17 años de edad—, los niños pasan más de cinco horas al día utilizando medios electrónicos, incluidas aproximadamente dos horas y media de televisión. La mayor parte de los niños examinados lee libros un promedio de 15 minutos al día y dicen de ellos que son «aburridos, anticuados y frustrantes».

Los niños pasan también menos horas fuera de casa y muchas más en el dormitorio, animados por los padres preocupados por la inseguridad ciudadana, el potencial abuso infantil y el tráfico. Sólo el 11% de los padres dijo que las calles en las que vivían eran seguras para sus hijos. Tres niños de diferentes partes de Londres describen gráficamente por qué han optado por la cultura del entretenimiento que les ofrece la pantalla de sus dormitorios:

> «La calle es como una película de terror, da miedo. Paso casi todo el tiempo en mi habitación viendo la tele o dibujando.»
>
> Ricky Allen, 10 años

> «Como siempre hay conflictos donde vivo, enciendo la luz, echo las cortinas y me quedo en casa. Cuando llego del colegio, tiro la mochila y me pongo a ver la tele.»
>
> Senab Adeklunke, 15 años

«Veo mucho la televisión porque no hay otra cosa que hacer... No me dejan salir a la calle a montar en bici, así que me quedo en casa viendo la televisión o algo parecido.»

Joanne Mason, 14 años[7]

Lo cierto es que los padres animan a sus hijos a jugar dentro de casa; de ahí que les llenen los dormitorios de televisores, vídeos, ordenadores personales y equipos de música. Hasta qué punto están justificados sus temores por la seguridad y el bienestar de sus hijos cuando juegan en la calle, es algo muy discutible que depende del contexto local. Sin embargo, a pesar de los casos de abusos y secuestros infantiles, las cifras muestran que tales peligros no son mayores que hace 20 años. Con el advenimiento de la medidas de tráfico lento, la seguridad de las calles ha mejorado sensiblemente. Pero lo que cuenta es la percepción general, y los propios medios electrónicos tienden a sobreenfatizar la probabilidad de encontrarse en los espacios públicos con «peligros extraños», violencia y accidentes.

Sin duda, ese aumento de la «cultura de dormitorio» es causa de preocupación, ya que los miembros de una familia viven juntos pero separados, y los niños se van aislando de la cultura familiar y de las horas compartidas durante las comidas. La vida de los niños se limita a un mundo privado influido por los medios audiovisuales que los padres no suelen entender. La televisión es el principal vínculo entre el dormitorio y el mundo, pero ahora cada vez hay menos comunicación acerca de lo que se está viendo. Así, por ejemplo, antes los padres y los hijos solían ver la televisión juntos y, por lo menos, hablaban de los programas que habían visto. La hora de acostarse ya no guarda tanta relación con dormir como con ver un rato la televisión. Según Sonia Livingstone, uno de cada tres niños sigue viendo la televisión después del *watershed* (hora antes de la cual no se emiten programas que se consideren poco apropiados para los niños) de las nueve de la noche en Gran Bretaña, el 28 % de los cuales son niños de entre 6 y 8 años.

Una de las claras consecuencias que se pueden extraer de todo esto es que los medios electrónicos, por regla general, ya no son parte integral de nuestro entorno familiar. La televisión ha reemplazado y usurpado la vida en común, la familia y la naturaleza, provocando que mucha gente viva dentro de la realidad virtual de los medios electrónicos. Es más, existen grandes contiendas por el dominio comercial de la televisión y de Internet, pues las compañías se dan perfecta cuenta de la habilidad que tienen esos medios electrónicos para «controlar las mentes de la gente». Liz King, directora general de educación de Microsoft, no guardaba en secreto sus intenciones comerciales cuando decía: «La educación es un mercado estratégico para nosotros. Estamos educando a la siguiente generación de trabajadores que comprarán nuestros productos».[8]

Otra consecuencia de estas tendencias es que los niños se van separando de sus padres y de la cultura familiar a una edad más temprana que nunca. Por otra parte, los niños tienen que adaptarse a las malsanas y distorsionadas prioridades de la moderna sociedad tecnológica: por ejemplo, cuando los coches tienen preferencia frente a los espacios seguros para jugar al aire libre. Los medios electrónicos les ofrecen experiencias artificiales e imaginarias en sustitución de su experiencia real de la naturaleza, de otras personas de la familia y de los vecinos. Y luego están los esfuerzos de los padres por ganarse la vida; puede que tengan que trabajar los dos, o que estén tan ocupados llevando la casa, que la televisión se convierta en un cómodo canguro electrónico que mantiene a los niños tranquilos.

No son sólo los niños los que están sometidos a esas nuevas fuerzas culturales, ya que los padres también se enfrentan al reto del buen uso de los medios electrónicos tanto en casa como en el trabajo. En 1970, el 99,5 % de los hogares de Norteamérica y Gran Bretaña tenían televisión, al menos el 95 % de la gente veía la televisión todos los días, y los hogares norteamericanos dejaban el televisor encendido un promedio de 8 horas diarias. Los adultos veían la televisión una media de hasta 4,5 horas al día, y los niños algo menos de 12,3 horas. Durante los últimos 30 años, las cifras de los que ven las cadenas de televisión han disminuido paulatinamente, y esa tendencia es más acusada desde mediados de los años 90, en que aumentaron el vídeo, la televisión por cable e Internet. A. C. Nielsen Co. estimaba que el americano medio ve la televisión 3 horas y 46 minutos por día, lo que equivale a *52 días al año*.[9] A la edad de 65 años, eso suma casi *9 años* enfrente de la tele. Aproximadamente el 40 % de las casas tienen tres o más televisores, y se alquilan 6 millones de vídeos al día.

En cuanto a las familias, mientras que el promedio de los niños de 2 a 11 años veía la televisión 1.197 minutos, el tiempo que los padres dedicaban a conversar un poco en serio con sus hijos era de tan sólo 38,5 minutos, es decir, menos del 30 % del tiempo que pasaban viendo la televisión. Dicho de otro modo, por cada minuto dedicado a una conversación interesante, *31 minutos* los dedicaban a ver la televisión. En torno al 52 % de los niños de edades comprendidas entre los 5 y los 17 años tenía un televisor en su dormitorio, y el 25 % de los niños de 2 a 5 años tenían también uno. El número de escenas violentas vistas a la edad de 18 años ascendía a 200.000, de las cuales 16.000 eran asesinatos.[10] Sin embargo, otra estadística profundamente inquietante es que el «niño medio» puede ver hasta *30.000* anuncios al año, incluidos muchos de comida basura durante los dibujos animados de un sábado por la mañana.[11]

En resumidas cuentas, un marciano que viniera a visitarnos desde el espacio exterior se quedaría muy desconcertado al observar nuestra cultura de la pantalla, difundida por todo el mundo. La descripción de Jerry Mander de lo que un marciano podría contar cuando regresara a la base da mucho que pensar:

«Todo el mundo está viendo las mismas imágenes al mismo tiempo. Las ven incluso en los colegios. Eso debe de ser una especie de instrumento para lavar el cerebro de las masas o para controlar su mente. Parece que se trata de unos valores y una cultura homogeneizantes. Y la gente empieza a comportarse como las imágenes que ven. Este proceso funciona en todo el mundo. Quizá hiciéramos mejor en no comunicarnos con este planeta. Da la impresión de que han perdido el control de sus mentes.»[12]

Sin embargo, existe una creciente reacción contracultural frente a la intrusa sobrecarga electrónica y al creciente dominio de los medios audiovisuales. Como veremos más adelante, las familias están buscando activamente maneras de enfrentarse a los ordenadores y a la televisión, así como de rescatar sus vidas. Tanto si no dejan ver la televisión a sus hijos antes de que cumplan los 7 años, como si limitan los videojuegos o guardan el ordenador en el vestíbulo, muchas familias están empezando a poner claros límites a los medios electrónicos. Aunque en ocasiones sean útiles y divertidos, los ordenadores y la televisión pueden también ser aburridos, «un medio para estúpidos más que para magos», como diría Harry Potter. En Estados Unidos, *TV Free America* organiza una *semana sin televisión* anual a finales de abril, en que las familias y los colegios intentan vivir sin la televisión durante una semana.

Como dijo Madonna de su hija pequeña Lourdes, «La tele es veneno. Que té sienten enfrente del televisor en lugar de leerte algo, hablarte o animarte a interactuar con seres humanos es una enorme equivocación y es lo que les pasa a muchos niños».[13]

Pese a todos estos datos tan preocupantes sobre el dominio de la cultura moderna por los medios electrónicos, es seguro que éstos permanecerán con nosotros en un futuro previsible. De ahí que como padres y educadores nos enfrentemos al reto de informarnos acerca de las necesidades que tienen los niños para desarrollarse, comprometiéndonos a crear una vida familiar culturalmente rica con nuestros hijos, a saber cómo les afectan los medios electrónicos, a incrementar la destreza y la fuerza de voluntad para controlar la televisión. En suma, el principal propósito de este libro es identificar cómo puede uno enfrentarse de la mejor manera posible a la televisión y al ordenador, de tal modo que no dominen ni distorsionen la vida familiar. Los padres saldrán beneficiados en la medida en que esto capacitará a la vida familiar para dedicarse a actividades más agradables y satisfactorias. Entonces sus dorados recuerdos de cuando cuidaban a sus hijos serán cómo les contaban cuentos al irse a la cama o cómo iban a nadar con ellos, en lugar de recordarlos viendo la televisión...

Así pues, las principales preguntas que se plantean en este libro son las siguientes:

- ¿Qué observaciones ha hecho sobre los hábitos de sus hijos a la hora de ver la televisión y de usar los medios electrónicos?
- ¿Cómo se desarrollan los niños felices, sanos y seguros de sí mismos? ¿Queremos tener unos hijos acelerados y estresados o unos niños con una auténtica infancia?
- ¿Qué efectos provoca la televisión en los niños? ¿Cuáles son las pruebas aportadas por la investigación sobre los efectos de la televisión? De este modo, usted estará informado y podrá tomar sus propias decisiones sobre lo que es bueno para su hijo.

- ¿Qué riesgos corren los niños al utilizar el ordenador?
- ¿Cómo pueden las familias enfrentarse con éxito a los ordenadores y la televisión?
- ¿Qué deben hacer las familias para que la convivencia sea creativa, agradable y enriquecedora?
- ¿Qué pueden hacer los colegios para ayudar a los niños y a las familias a enfrentarse con los medios electrónicos?
- «Criar a un niño es cosa de un pueblo entero»: ¿Cómo pueden las comunidades acometer el reto de enfrentarse constructivamente a los medios electrónicos? ¿Y qué podemos hacer para contrarrestar las crecientes presiones del comercialismo sobre la infancia?
- ¿A qué contactos y ayudas se puede recurrir?

Cómo usar este libro

Éste es un libro para hojearlo siempre que sea necesario. Algunos lectores desearán tener una visión de conjunto y considerar qué es lo mejor par ellos y para sus hijos, por lo que tal vez quieran leer el libro entero. Otros quizá quieran limitar el acceso de sus hijos a los medios audiovisuales y busquen investigaciones que respalden sus corazonadas e intuiciones.

Muchos lectores habrán tomado ya, en un sentido u otro, sus propias decisiones acerca de los medios electrónicos. Probablemente estén ya buscando vías constructivas de abordarlos tanto para ellos mismos como para sus parejas e hijos. Para esas familias los capítulos 9 y 10, que tratan de las maneras constructivas de afrontar la televisión y los ordenadores, pueden ser de mucha utilidad.

Los que acaban de ser padres es posible que quieran mirar hacia el futuro, en especial con vistas al desarrollo global de los hijos. Otros padres querrán usar este libro para reunirse con otras familias y desarrollar estrategias constructivas para los colegios de sus hijos, lo que por supuesto puede poner a disposición los recursos previamente utilizados por la tecnología informática para contratar a otro profesor...

Algunos colegios preocupados por el desarrollo global de los niños —físico, anímico y espiritual—, como los del movimiento Steiner (Waldorf), utilizarán este libro para afianzar sus líneas directrices relativas al uso de los medios electrónicos, con el fin de suscitar discusiones y debates sobre los efectos de los ordenadores y de la televisión tanto en las vidas familiares individuales como en la cultura en toda su extensión. Y, por último, a través de la simple lectura de este libro, el lector logrará fortalecer y unirse al creciente movimiento contra-cultural de padres y educadores preocupados, que están decididos a reclamar una vida familiar enriquecedora, desde el punto de vista de la salud y del desarrollo, que se aparte de los excesos de la floreciente «cultura electrónica» que tanto nos afecta a todos.

2. «Observaciones inquietantes»

Viendo cómo su hijo ve la televisión

¿Y vosotros qué veis?

Cuando nuestros hijos eran pequeños, muchos niños venían a jugar a nuestra casa. Una niña de 10 años que vivía en la misma calle, un poco más arriba, no lograba calmarse la primera vez que vino. Miró por todas partes: en los armarios, debajo de las escaleras, en la casa de muñecas... Daba la impresión de que buscaba un tesoro, y yo estaba perplejo hasta que por fin preguntó: «¿Y vosotros qué veis?». Le parecía muy extraño que no hubiera un televisor por ninguna parte. (De hecho estaba guardado en el piso de arriba porque teníamos poco espacio.)

A Claire no le faltaba razón, porque lo cierto es que la gente siempre está viendo algo. Un aspecto clave que a veces se descuida es que lo importante no es tanto *qué* ven los niños como *el proceso de ver por sí mismo*. Así, ver la televisión de por sí afecta a los niños independientemente del contenido de la programación, entre otras cosas, porque desplaza otras actividades como jugar, leer libros y conversar. Estos efectos de amplio alcance pueden incluir una adquisición lingüística pobre, nerviosismo, estrés, dolores de cabeza, pesadillas, vista fatigada, hiperactividad, dificultades en el aprendizaje y falta de concentración. De estos riesgos discutiremos detenidamente en los capítulos 4 y 5.

La mayoría de los padres suelen preocuparse más por los efectos del *contenido* de un programa que por la cantidad de tiempo que pasan viendo la televisión, o por los efectos de verla independientemente del contenido del programa. Normalmente, los padres están preocupados por los efectos de contenidos como la violencia, la pobreza de lenguaje, la publicidad nociva y los valores implícitos que propagan los programas, tales como «las acciones violentas de los héroes contra los malos están bien».

Así que para empezar, ¿por qué no intenta hacer su propio experimento simplemente observando (lo más objetivamente que pueda) a su hijo o hijos mientras ven la televisión, usan el ordenador y se entretienen con los videojuegos? Al cabo de un rato verá que tienen una mirada distraída, sin expresión, la boca entreabierta y el cuerpo hundido. Los efectos hipnóticos de la televisión se apoderan enseguida del niño. Lo mismo sucede con los videojuegos interactivos.

Observaciones sobre los niños viendo la televisión

Una madre describía así al hijo de una amiga de 2 años viendo la televisión:

> «En realidad no la estaba viendo, sino que tenía la mirada perdida, como si estuviera hipnotizado. No sabía lo que pasaba; sólo miraba porque algo se movía y se sentía atraído por el parpadeo... Le habían puesto delante de la tele para que dejara de incordiar a su madre. Acabó volviéndose hiperactivo y se despertaba muchas veces por la noche».

Ellen, que vivía en un piso pequeño, describía así a sus hijos de 4 y 7 años viendo la televisión:

> «No parecían interesados; se limitaban a mirar la pantalla: una comunicación en un solo sentido. Aunque el programa les interesaba poco, al mismo tiempo tenían la vista clavada en el televisor. Noté que se ponían bastante nerviosos e irritables si se interrumpía el programa. Si veían la tele antes de irse a la cama, se desvelaban».

«Si se le dejara, Peter vería la televisión hasta que se terminara», observaba su madre, y añadía:

«Los niños tienen mentes abiertas y son sensibles a todo tipo de impresiones; por ejemplo, Peter se queda con las frases repetitivas y se contagia de los movimientos de Kung Fu. Si ve durante mucho tiempo la televisión, el resto de la tarde se comporta igual que Dumbo, con los ojos rojos y una mirada de borrego. Se vuelve agresivo si se le frustra en algo que quiera ver, y se opone a lo que quiera hacer el resto de la familia. Parece hipnotizado por las imágenes que le asaltan».

En muchas ocasiones, los padres describían a sus hijos viendo la televisión como «zombis», «pasivos», «estupefactos», «hipnotizados», «completamente absortos pero no interesados» o «sedados». Las excepciones eran los niños que veían programas cortos con sus padres, cuando había frecuentes interrupciones para hacer preguntas y charlar sobre lo que estaban viendo. Aun entonces, los padres observaban lo rápidamente que sus hijos entraban en un «estado de trance televisivo» y se limitaban a mirar.

Algunos padres se preguntaban si ver la televisión era en realidad relajante para su hijo, pues notaban que después de verla, a menudo presentaba signos de irritabilidad, nerviosismo, torpeza y estallidos de la energía reprimida.

Otra madre describía así los hábitos televisivos de su hijo Adrian, de 8 años:

«En invierno llega a casa del colegio, pone la televisión para relajarse y se queda tranquilo y pasivo hecho un ovillo en el sillón. Cuando termina la programación infantil, pega un salto, sale a todo correr por la puerta y atraviesa a toda velocidad el jardín en bicicleta.»

Los padres comentaban que ver la televisión parece que les «relaja», «tranquiliza», «apacigua» y «entretiene» mientras están enfrente de ella. Sin embargo, después suelen estar «inquietos», «nerviosos», «contestones» y descoordinados, como si despertaran de un mal sueño. Esto puede describirse como una especie de proceso de «reentrada», pues pasan de un estado consciente similar al trance a la conciencia del despertar.

Después de observar cómo ven la televisión sus hijos, muchos padres se escandalizan de verlos en un «estado de alteración», como si fueran zombis. ¡Qué abiertos e impresionables parecen, y al mismo tiempo qué pasivos! No tienen nada que ver con cómo son el resto del tiempo. En comparación, mientras están jugando o leyendo un libro, se puede casi *ver* cómo trabajan sus mentes y su imaginación, conectadas al mundo de manera activa y entusiasta. Si les cuenta un cuento a niños de unos 4 o 5 años, se quedarán tan absortos que, si se le escapa algún detalle, se lo dirán inmediatamente. Un terapeuta clínico especializado en juegos contaba la historia de un niño enfermo de 4 años que estaba jugando en grupo en una sala del hospital. «Cuando su madre le llamó para que viera *Escuela de juego* en la televisión del hospital, él le contestó: "No, gracias, ya estoy *en* la escuela de juego".»

Después de haber observado los efectos que tiene sobre sus hijos ver la televisión o entretenerse con los videojuegos, algunos padres están sumamente preocupados por lo que han visto. Si sus hijos tienen menos de 7 años, a menudo deciden o bien no permitirles que vean nada de televisión, o bien que vean sólo unos pocos programas especiales en su compañía. Un padre observó lo que su hijo de 5 años estaba viendo durante unos cuantos días, y se quedó tan preocupado por lo que vio —tanto por el contenido del programa como por los efectos que éste ocasionaba en su hijo—, que dejaron de ver la televisión juntos. Las noticias le parecieron especialmente violentas y aterradoras para su hijo. Y es que, efectivamente, los niños pequeños pueden acongojarse mucho por lo que ven. Por ejemplo, después de que los jumbos se estrellaran contra las Torres Gemelas del World Trade Centre de Nueva York el 11 de septiembre de 2001, muchos tenían pesadillas porque no eran capaces de sobreponerse a las imágenes contempladas.

Una abuela compartía esta historia porque había observado a su nieto de 2 años mientras veía la televisión:

«El "héroe" iba conduciendo un coche. Cuando daba marcha atrás, el coche se quedaba con las ruedas traseras medio colgadas del borde de un precipicio. No cundía el pánico. El conductor le decía a su mujer: "Betty, no quiero asustarte, pero quédate quieta". Mi nietecito se tiró boca abajo sobre un cojín grande y gritó: "¡Coche no, coche no!". Cuando apagué el televisor, todavía seguía gritando: "Coche no". A la mañana siguiente, se acercó a mí con un coche de juguete y lo balanceó por el borde de la mesa del desayuno diciendo: "¡Mira, yaya, así pasó!"».

La abuela les comentó a los padres del chico que, en su opinión, la televisión no le sentaba bien, sobre todo porque había pasado unas noches inquieto. Les llevó mucho tiempo y mucha paciencia hacerle entender que la historia de la televisión era «sólo fingida». Si bien es cierto que los niños mayorcitos pueden ver sucesos aterradores en la televisión sin mostrar ninguna reacción, posiblemente usted no quiera para su hijo ese tipo de desensibilización. A mis hijos ya crecititos todavía les parece divertido que a veces me tape los ojos y los oídos ante algunas escenas particularmente terroríficas de una película.

Recuadro 1

Líneas directrices para evaluar los efectos de la televisión en los niños

1. *Noticias:* Las noticias a menudo tienen un contenido muy violento y, además, cada vez están más diseñadas para *informar divirtiendo*, con el fin de ganar la guerra de los índices de audiencia. Muchas veces ofrecen una visión del mundo muy selectiva e irreal, y en comparación con las noticias de la radio o de los periódicos, su contenido es escaso. Son poco apropiadas para niños menores de 11-12 años. Intente verlas con su hijo para ver cómo reacciona.

2. *Lenguaje:* Intente escuchar la programación de su hijo quitando las imágenes: ¿es ésa la clase de lenguaje que quiere que aprenda su hijo? *¡Ay, bong, uf, grrr!»...* ¿En cuánto valora la riqueza de expresión? ¿Es así como quiere que hablen sus hijos?

3. *Anuncios*: Un sábado por la mañana, con los dibujos animados, hay muchos anuncios de comida basura y de refrescos dirigidos a los niños. Muchos programas, incluidos los de la BBC o la PSB, aprovechan para poner anuncios de texto en la parte baja de la pantalla, por ejemplo, de partidos de fútbol. La carrera automovilística Fórmula 1 está llena de coches y conductores que actúan como vallas publicitarias ambulantes. Las compañías de juguetes producen espectáculos orientados a vender sus juguetes y sus variadas ofertas. Incluso una televisión pública como la BBC puede vender muñecas, camisetas y accesorios al mismo tiempo que muestra programas para niños como los *Teletubbies*.

4. *Habilidades sociales*: ¿Cómo resuelve la gente los problemas? ¿Hablando, discutiendo o ganando el «bueno» más fuerte? Aparte de vengarse o tomarse la revancha, ¿aparecen otras maneras de resolver los problemas? ¿Cuáles son los valores que se ofrecen?

5. *Nivel de comprensión*: Muchos niños se hacen un lío con lo que ven en la pantalla. Es probable que sea inapropiado para su edad; según un estudio, por ejemplo, los niños de 4 años disfrutaban de un cuento de hadas de la televisión, pero eran incapaces de entenderlo ni de recordarlo. Necesitan que usted los ayude apagando la televisión o discutiendo sobre lo que pasa, o bien eligiendo programas más comprensibles.

6. Vea la televisión con sus hijos y pregúntese a sí mismo si le gusta lo que ve. Sugiera a su hijo actividades alternativas y ayúdele a apagar el televisor.

«Una manera de entrenar al niño para la alienación»

Un padre hace un descubrimiento observando a sus hijos

Jerry Mander fue un publicista americano de éxito que se dio cuenta de lo poderosa que era la televisión como un medio para introducir imágenes en la cabeza de la gente con el fin de influir en su conducta consumidora. Desde entonces escribió varias críticas famosas sobre la televisión y la tecnología, como *Cuatro argumentos para eliminar la televisión*. Fue también el fundador de *Adbusters*.[1]

Sin embargo, la verdadera trayectoria de Mander empezó cuando un día observó cómo jugaban sus hijos:

«Me asustaba al observar a mis hijos viendo la televisión; cuando el resplandor azul se reflejaba en sus caras tenían una mirada vacía. Parecían zombis. Pero la revelación más aterradora me llegó un día en que toda la familia fuimos a merendar al campo.

»Mis hijos jugaban en un prado mientras yo estaba tumbado en la manta. Los vi saltando llenos de energía entre las rocas gritándose cosas el uno al otro. Aquello parecía bastante agradable hasta que me di cuenta de que todo el juego no era sino una reconstrucción de la serie televisiva *Star Trek*. Uno de los niños era el capitán Kirk y el otro el señor Spock, y sus diálogos estaban directamente sacados de la televisión. Allí estábamos disfrutando de un magnífico y soleado día de campo, rodeados de flores y acariciados por la brisa, y en cambio ellos seguían absortos en las imágenes de la televisión. Aunque parecían estar en el campo, su cerebro lo ocupaban imágenes procedentes de otra parte. Podríamos haber estado perfectamente en el metro o en el cuarto de estar.

»En aquella época no me daba cuenta de que ese proceso de imágenes implantadas que se vuelven dominantes en la experiencia de cada uno era una especie de entrenamiento para la alienación, pero ahora lo sé con toda certeza. Entonces me inquietó pensar que esas imágenes implantadas pudieran aislarle a uno de la naturaleza, y que yo desempeñaba un papel directo en ello.»[2]

Así pues, el hecho de sacar tiempo para observar a los niños viendo la televisión y para plantearse uno mismo la pregunta: «¿Es saludable esta actividad para mi hijo?» puede derivar en un descubrimiento dramático y sorprendente. Muchos padres han dicho que esa experiencia fue para ellos crucial y que, a partir de ese momento, empezaron a confiar en su propio sentido común para ver qué era realmente bueno para sus hijos.

Otro ejercicio de observación consiste en ver a su hijo con un videojuego portátil o usando el ordenador, para comprobar los efectos usted mismo y para que así pueda compartir sus observaciones con su pareja o con los amigos. Por otra parte, también está la cuestión de cuál es su experiencia personal con los medios electrónicos.

«Un campo de adiestramiento para la distracción»: El experimento de la televisión zen

Bernard McGrane ideó el experimento de la televisión zen para provocar que la gente *viera* la televisión en lugar de limitarse a mirarla, y para «parar el mundo» como el primer paso para verla de esa manera. Intente ver la televisión conscientemente, con toda atención y concentración, en lugar de mirarla pasivamente. Normalmente, si está viendo la televisión, no puede observar y experimentar a la vez la experiencia de ver la televisión. «Cuando vemos la televisión, rara vez prestamos atención a los detalles del suceso. A decir verdad, rara vez prestamos atención en general», escribe Bernard McGrane.[3]

Ensayos con el Technical Events Test (TET) (test de los recursos técnicos)

Los programadores de televisión utilizan recursos técnicos como voces en off, zooms, cambios de música, cortes, fundidos y cambios de plano para captar la atención de los televidentes. La «televisión pura» es como una cámara que simplemente registra lo que pasa, como por ejemplo las cámaras de la televisión de circuito cerrado (CCTV), que pueden estar en la calle principal de una ciudad. Algo diferente de la pura televisión es el recurso técnico, que forma parte de la destreza para hacer un programa. Olvídese del contenido del programa y fíjese sólo en los recursos técnicos.

Cuando hice el CCTV con un grupo de estudiantes utilizando un anuncio de un coche de medio minuto de duración, contamos la asombrosa cantidad de 130 recursos técnicos en esa elaboradísima y breve película de tan sólo 30 segundos. Vimos el anuncio una y otra vez, y los estudiantes pasaron del aburrimiento, el enfado y la frustración —«¿Por qué nos hace este estúpido test?»— al más vivo interés por la cantidad de recursos y por la habilidad técnica que había sido necesaria para pulir esa joya de medio minuto. No es de extrañar que los anuncios de esa clase logren atrapar y mantener con tanto éxito nuestra atención.

De todos modos, usted mismo puede hacer estos experimentos:

1. Vea cualquier show televisivo durante 10 minutos sin poner el sonido, mientras cuenta los recursos técnicos.
2. Vea cualquier programa de noticias durante 10 minutos sin poner el sonido.
3. Haga lo mismo, pero limítese a escuchar sin mirar las imágenes.
4. Mire al televisor durante 10 minutos sin encenderlo.

Es crucial que haga estos experimentos por sí mismo para que pueda comparar sus descubrimientos con los de Bernard McGrane. Él halló lo siguiente:

1. Los estudiantes se enfadaron y se resistieron a hacer el experimento. Preguntaban: «¿Qué significado tiene esto?», y añadían: «Ya he perdido 30 minutos de mi tiempo». Al final, después del cuarto ejercicio, los estudiantes admitieron que habían perdido gran parte de su vida enfrente del televisor. ¿Por qué se enfadaban entonces por ver la televisión apagada?
2. «Cuando enchufas la televisión, desenchufas el mundo.» ¿Por qué todo lo de la televisión parece tan real e inmediato? Los recursos técnicos nos engañan con la *apariencia* de lo real y de lo natural, de lo que no ha sido producido. Pero cuando hacemos el CCTV, nos asusta darnos cuenta de hasta qué punto nuestra experiencia televisiva está prefabricada. Si uno se fija en los recursos, no puede seguir el argumento de la historia: *o* ve el programa *o* cuenta los recursos técnicos. Lo que se nos presenta son breves segmentos de secuencias que pasan a toda velocidad. Tenemos que combinar y dar un sentido a esos fragmentos relacionándolos, sintetizándolos y rellenando los espacios en blanco.

   «Los esfuerzos de nuestra mente activamente sintetizadora siguen su curso mientras estamos recostados en el sillón, relajados y absortos. Esa vertiginosa integración de unos fenómenos que a menudo no guardan ninguna relación entre sí (enfoques, escenas, personajes, música) se experimenta y se absorbe pasivamente. Diríase que nuestras mentes funcionan a toda velocidad sin que nosotros lo sepamos.»[3]

Jerry Mander hace esta aguda observación:

> «La diferencia entre las imágenes que se generan en nuestro interior y las impuestas es la clave para ver si es apropiado decir que la televisión relaja la mente. La relajación implica renovación. Uno corre a toda velocidad y luego descansa. Cuando está descansando, los músculos al principio se distienden, y luego, cuando les entra nuevo oxígeno, se renuevan. Cuando usted está viendo la televisión, su mente no es en modo alguno una «mente vacía». Las imágenes entran en ella a raudales. Su mente no está tranquila, sosegada ni vacía. Más bien parece «zombizada». Está ocupada. Y a partir de estas condiciones no puede surgir una renovación».[4]

3. Las «mentes de mono» nerviosas, volátiles, dispersas y excitadas son algo inducido. El CCTV muestra a las claras cómo la televisión nos entrena para reducir el tiempo de atención, cómo la vida cotidiana puede volverse insípida y la mente nerviosa. No resulta extraño que algunos neurofisiólogos llamen a la televisión «un campo de adiestramiento para la distracción». Se trata de un medio de comunicación de masas fugaz e instantáneo, que tiene por objetivo enganchar espectadores a la tele para que no disminuyan los índices de audiencia.

   McGrane sostiene lo siguiente:

> «Es más fácil acortar los momentos de atención y aumentar la distracción que prolongarlos, incrementar la concentración y calmar y apaciguar la mente... La función de la televisión es crear, mantener y fortalecer continuamente lo que en la tradición zen se denomina con frecuencia una "mente de mono"».[5]

   En otras palabras, una mente disipada, dispersa y «desafinada» que no está donde tiene que estar.

4. El contenido de las noticias se presenta como un entretenimiento. Normalmente sólo se muestran los sucesos destacados —lo inusual, los desastres, las guerras—, más que los eventos cotidianos que afectan a la gente corriente... a no ser que la historia tenga un

rasgo cómico «entretenido». Si hay muchos menos recursos técnicos es porque las noticias tienen que parecer más realistas que otros espectáculos televisivos. Las historias se presentan como un entretenimiento; de este modo, nos volvemos ávidos de noticias, como lo demuestran los servicios de 24 horas de la CNN o de la BBC, que ofrecen la promesa de los más recientes sucesos. Aunque las noticias de la televisión nos ofrecen lo que pueden parecer «hechos», en realidad no es más que una ilusión: sencillamente no sabemos lo que está pasando en Afganistán; lo único que recibimos es una rápida ojeada selectiva y unos pocos fragmentos montados de declaraciones. De este modo, la televisión se convierte en una burbuja... y el mundo se convierte en televisión. Pero al fin y al cabo, ver es creer...

En 1999, noche tras noche nos ofrecieron imágenes de la OTAN bombardeando Kosovo y Serbia; pero sólo más tarde se llegó a saber que en realidad sólo se habían destruido 17 tanques serbios durante las maniobras.

Recuadro 2

Maneras de permanecer alerta mientras vemos la televisión

Intente hacer estas «pruebas de pantalla» para volver a conectar su cerebro cuando esté viendo la televisión:

1. Cuente el número de recursos técnicos: voces en off, cortes, zooms, etc., e intente averiguar cómo está empalmado y montado el programa.
2. ¿Cómo le afecta la música y la banda musical?
3. Amplíe la perspectiva: Agrande su visión de la pantalla para comprender lo que está pasando fuera de ella: los micrófonos, el decorado, las luces, los letreros con el texto, etc.
4. Imagine las palabras escritas por encima de la cámara que va leyendo el presentador y que le dan a éste una apariencia tan natural.
5. Calibre el estatus social de las noticias: ¿cuánto tiempo de estar hablando en antena se le concede a la gente corriente?

6. Reduzca la perspectiva: ¿sale el mismo edificio cuando la cámara cambia de una escena exterior a otra interior?

7. Con arreglo a los clichés, la televisión ha de ser visual: por ejemplo, el Big Ben se utiliza para representar al Parlamento, o la Casa Blanca para representar al gobierno de Estados Unidos.

8. Las noticias normalmente favorecen más a un lado en concreto: ¿a cuál?

9. Clasifique los anuncios: la promesa, la historia, las imágenes, los pensamientos y los sentimientos. ¿Qué vía se utiliza para atraer al espectador: el humor, el sexo, la diversión, el romance...?

10. Juegue a «*detectar el estereotipo*»: ¿cuánta diversidad de razas, géneros, edades, aptitudes y clases sociales hay?

11. ¿Hay anuncios de texto en la parte baja de la pantalla durante el programa? ¡Pruebe a contar los que ponen en un partido de fútbol!

12. ¿Qué valores guían la conducta de lo que ve en la pantalla?[6]

¿Cuáles son sus propias experiencias al ver la televisión?

Después de hacer el CCTV, intente pasar un rato simplemente observando la televisión y siendo consciente de cómo responde su cuerpo, sus sentimientos y su mente. Procure hacer este ejercicio aun cuando el programa le guste particularmente. He aquí la experiencia de una persona:

«Cuando veo la televisión, me quedo fácilmente atrapado por las imágenes. Me resulta difícil apartar de la pantalla la mirada, que se siente atraída por los movimientos o por los sonidos inesperados. Los anuncios y los trailers los ponen a un volumen mucho más alto que el programa anterior. Siento como si mi atención estuviera siendo forzada, aunque no esté especialmente interesado por el contenido. Pese a que me desasosiega ver la televisión más de unos pocos minutos, al mismo tiempo me resulta difícil apagarla y me pongo a cambiar distraídamente de canal "para ver si echan algo bueno". Después me siento un poco aletargado y necesito levantarme y estirarme, hacer algo de ejercicio para "reponerme". Cuando veo la televisión a última hora de la tarde, las imágenes me parecen mucho más vivas que las de la vida cotidiana.»

Mucha gente afirma que le gusta ver la televisión porque es relajante, entretenido e informativo. Desde luego, a los espectadores lúcidos y perspicaces la televisión no les «coloca»; sin embargo, al mismo tiempo, también ellos reflexionan sobre los efectos secundarios:

- «No puedo evitar mirarla. Me hipnotiza.»
- «Cuando la veo, siento un estúpido vacío.»
- «Es como una droga.»
- «Cuanto más la veo, más apático me pongo y menos ganas tengo de apagarla.»
- «Ver la tele me deja sin energías.»
- «Era tan vulnerable a la televisión, que no me quedó más remedio que deshacerme del televisor.»

Jerry Mander describe sus experiencias del siguiente modo:

«Mis reacciones a la experiencia de ver la televisión se reducían invariablemente a una o dos constantes. Si el programa que había estado viendo tenía algún tipo de interés particular, la experiencia me resultaba "antivital", como si de alguna manera me hubieran vaciado o utilizado. Acababa con una especie de sensación de amortiguamiento interno, como si todo el cuerpo se hubiera vuelto inactivo, víctima de un leve e impreciso ataque. Cuanto más la veía, peor me sentía. Después, casi siempre me entraban ganas de salir a la calle o de irme a dormir para recobrar la fuerza y las sensaciones. Otra cosa que me pasaba después de ver la televisión es que notaba como si dentro de la cabeza tuviera un brillo difuso: ¡las imágenes! En contra de mi voluntad, éstas volvían a mi conciencia horas más tarde».[4]

Los teleadictos y la droga de la conexión

Los estados de alteración de la conciencia comúnmente observados que provoca la televisión, las dificultades que tiene mucha gente para apagarla, las caras inexpresivas, la dificultad para recordar el contenido de un programa: todos estos síntomas inquietantes indican que la televisión puede convertirse fácilmente en lo que Mary Winn ha denominado gráficamente *the plug-in drug* (la droga de la conexión). Muchas personas se describen a sí mismas como «teleadictas», pues pasan delante del televisor más tiempo del que en realidad quieren y se sienten incapaces de controlar sus hábitos televisivos. Y aunque se pueda llamar a la televisión una «droga psicológica», los programadores saben perfectamente captar y mantener la atención del espectador aun cuando no esté particularmente interesado. No tiene más que pensar en los anuncios hipersofisticados y altamente manipuladores, con sus recursos técnicos esmeradamente diseñados para clavarle al televisor.

También conviene recordar que si a algunos adultos les cuesta trabajo apagar la televisión, a los niños les resultará como mínimo igual de difícil, por lo que necesitan que los adultos les ayuden a apagarla y a tomar decisiones conscientes y deliberadas sobre lo que se puede ver. Y puesto que los programas infantiles de los canales comerciales son considerados como un vehículo para transmitir a las mentes de los niños mensajes publicitarios muy elaborados —por ejemplo, vender juguetes, videojuegos y comida basura—, entonces su vulnerable hijo necesita la activa protección de un adulto frente a tales intrusiones.

Una de las raíces de la adicción es la falta de un entorno enriquecedor en los primeros años de la infancia. La insaciable sed de «calidad» o la sensación de que «algo falta» lleva luego, más adelante en la vida, a diferentes formas de adicción. Hay mucha verdad en lo que decía Marshall McLuhan sobre la televisión: que «el medio es el mensaje».

A los niños pequeños que están relativamente libres de la telecultura les resulta bastante natural ser intrínsecamente activos, juguetones, preguntones e interesados por aprender cosas del mundo. De ahí que sean *los padres* y el entorno doméstico creado por ellos los que proporcionan las condiciones a través de las cuales los niños se vuelven susceptibles de convertirse en teleadictos. Por ejemplo, es muy fácil utilizar la televisión como «un canguro electrónico», y cuando los programas televisados fallan en su propósito de entretener o distraer, siempre se puede echar mano del vídeo o de los videojuegos...

A veces los padres no saben guiarse por su propio sentido común y por su intuición para ver qué es lo saludable para su hijo, o bien no saben prestar atención a las sensateces de sus propios hijos, tal como ilustra esta historia real:

«El hijo de 4 años de un amigo veía mucho la televisión. Su madre intuía que no era sana, pero seguía dejándole que la viera. El niño padecía pesadillas, dormía mal y sufría ataques de conducta agresiva, lo que se atribuyó a que estaba sometido a demasiados estímulos en casa. Una noche se despertó y se puso a gritar que deberían tirar el televisor al jardín. Por desgracia, los padres no hicieron caso del sano y desesperado grito de su pequeño hijo. Ahora, a la edad de 6 años, su madre se ve obligada a librar una auténtica batalla para apartarlo del televisor».

Como los niños pequeños suelen necesitar la aprobación o el permiso de sus padres para jugar y realizar otras actividades, es importante ser conscientes de la manera en que ustedes, como padres, canalizan las actividades de sus hijos. Conviene merendar algo con sus hijos cuando llegan del colegio y comentar los sucesos del día, entre otras cosas, para ayudarles a que se relajen. En cambio, los efectos subyacentes de la televisión pueden hacer que se sientan *más* tensos; de modo que más les vale jugar tranquilamente, descansar, hacer los deberes, hacer un poco de ejercicio o pasar un rato desestresándose con alguna mascota de la familia.

Los padres suelen sentirse muy tentados a animar a sus hijos a que vean la televisión en las «horas punta», como por ejemplo antes de cenar. Sin embargo, esta «solución» puede derivar fácilmente en un «círculo vicioso televisivo», pues cuanto más vea su hijo la televisión, menos jugará o leerá, y así sucesivamente, hasta que los padres acaben con la sensación de que su papel principal es el de meros «entretenedores». En suma, el mayor peligro —con incalculables consecuencias para toda una vida— es que sus hijos acaben dejándose llevar por la motivación *extrínseca* para conducir sus vidas, en lugar de ser animados para que cuenten con *su propia* e intrínseca creatividad, motivación y capacidad imaginativa.

En resumidas cuentas...

1. Intente observar a su hijo mientras ve la televisión, utiliza el ordenador y juega con videojuegos. ¿Cómo se siente y qué impresión saca de lo que ve?

2. Vea programas con su hijo observando atentamente el lenguaje que emplean, las imágenes, el ritmo (utilice el *test de los recursos técnicos: CCTV*), los valores implícitos, el nivel de comprensión y los anuncios (si los hay). Considere hasta qué punto esa experiencia puede ser saludable para su hijo.

3. Haga usted mismo el *experimento de la televisión zen*: ¿qué experiencia saca de ver la televisión? ¿Controla la situación o no?

4. Los padres pueden usar rutinariamente la televisión como una «droga de la conexión». Una alternativa viable es guiar a sus hijos para que elijan sus propias actividades evitando así los peligros de la teleadicción.

5. Como es natural, los niños imitan a sus padres; de modo que si usted ve mucho la televisión, ellos harán lo mismo.

6. Los medios electrónicos son extremadamente poderosos y están orientados a captar su atención aun cuando no esté especialmente interesado; por eso los niños pequeños le necesitan para que apague el televisor, y los un poco mayorcitos también le necesitan para que los ayude a desarrollar *su capacidad de elegir* apagarlo.

3. Los secretos del desarrollo infantil

«Pero si la tele ha pasado mucho más tiempo educándonos que tú.»

Lisa a Homer en *Los Simpson*

No hay nada que se parezca a un abuelo sabio. Mientras estaban con su hija a los pocos meses de haber nacido el primer niño de ésta, a los abuelos les pareció que el bebé estaba nervioso, era propenso a llorar excesivamente y tenía dificultades para dormir. La causa parecía ser la televisión, que estaba encendida al lado del bebé durante mucho tiempo. Así que el abuelo comentó con mucho tacto que la causa podía ser la televisión y le sugirió al padre que preguntara a su suegra por los efectos de la televisión en los bebés. «Después de todo, así como tú eres experto en finanzas, tu suegra, como profesora, tiene una vida entera de experiencia en lo que es bueno o malo para el desarrollo de un niño.» Entonces la abuela propuso que no pusieran la televisión durante una semana para ver qué efectos causaba en el niño. El niño se calmó enseguida y empezó a dormir bien, y a partir de entonces rara vez ponían la televisión mientras sus hijos eran pequeños.

Sin embargo, no sólo carecen del conocimiento de lo que es sano para el desarrollo infantil algunos padres, sino también algunos profesores. Un chico de 7 años entró en un colegio público de California. Como no acababa de encajar y estaba claramente ansioso y con contracciones espasmódicas nerviosas y pesadillas, su madre fue a hablar de los problemas del chico con su profesor. «Pues verá», le dijo éste, «su hijo no ve suficientemente la televisión ni tampoco vídeos.

No juega a videojuegos como Nintendo, que acelera las reacciones.» El profesor le recomendó un Disney Game Boy y vídeos de Pokemon. La madre, horrorizada, le preguntó: «Pero ¿no es mejor para él que aprenda a jugar creativamente y a usar la imaginación?». «Bueno, sí, estoy de acuerdo con usted», contestó el profesor. «Pero está demostrado que las habilidades que se desarrollan con estos juegos capacitan a los chicos para ser buenos pilotos de caza.»

Así que la madre metió a su hijo en el colegio Steiner (Waldorf), donde el uso de los medios electrónicos por los niños está cuidadosamente restringido. «Hemos recuperado a un chico de 8 años bien desarrollado, vital, enérgico, entusiasta y lleno de vida, que ya duerme bien y no tiene dolores de cabeza.»[1]

Los padres se pueden beneficiar del acceso a un conocimiento práctico de lo que le ayuda al niño a crecer y a desarrollarse saludablemente, recuperando su propio sentido común y enfrentándose a las presiones, implacablemente crecientes, de la cultura moderna. Estas presiones incluyen la desaparición de la familia extensa: los familiares y los abuelos han dejado de vivir cerca. Han desaparecido, pues, nuestras tradicionales redes del apoyo familiar; y una familia más pequeña significa que usted ya no aprende a cuidar de sus hijos siguiendo los consejos de sus padres o de sus vecinos. El cambio en los patrones de trabajo también está forzando a los padres a hacer juegos malabares entre los niños y el trabajo. Sin embargo, ahora hay más información fiable y razonable que nunca para criar bien a los hijos, aunque paradójicamente haya más presión que nunca para que los niños crezcan demasiado deprisa y demasiado pronto.

¿Demasiado y demasiado pronto o lo justo y en el momento apropiado?

Criar a los hijos es uno de los desafíos de la vida más duros, más satisfactorios y más gratificantes. Sin embargo, muchos padres pueden carecer de la habilidad y el conocimiento necesarios para cuidar de sus hijos con confianza y seguridad. Por alguna razón, los libros y los expertos en el cuidado infantil no son suficientes, por lo que los padres buscan la ayuda de otros progenitores. Los grupos de asistencia prenatal y los cursos para padres suelen desembocar en redes de apoyo, por ejemplo, si usted se hace amigo de otros padres que conozca. Este proceso de apoyo continúa cuando el niño se mete en un grupo para padres y niños, en un parvulario, en un grupo de juego o en el propio colegio. A menudo, los padres de los amigos de sus hijos también acaban convirtiéndose en sus amigos.

Los que son padres por primera vez y hasta entonces se han dedicado sólo a estudiar o a trabajar pueden sentirse aislados de la comunidad. A algunos les costará un tiempo entender cómo se desarrollan los niños felices y sanos. No obstante, resulta útil comprender la naturaleza precisa de las necesidades del desarrollo infantil. Julia Childs, la famosa cocinera americana, dice que «los buenos cocineros necesitan principios, no recetas». De modo que si usted posee la intuición de lo que necesitan los niños para desarrollarse, es mucho más probable que averigüe qué es sano para su hijo sin tener que recurrir a «expertos» ni a manuales de autoayuda.

No resulta demasiado sorprendente que muchos niños padezcan estrés, pues se sienten forzados a apresurarse, agobiados por la noción que tienen sus padres acerca del «tiempo de calidad»; son animados a hacer demasiadas cosas y se sienten demasiado ocupados. En consecuencia, esos niños, cuando llegan del colegio, tienden a retirarse pronto a su dormitorio y a ponerse el pijama como dando a entender que ya han tenido bastante. El psicólogo infantil de la Universidad de Yale, David Elkind, fue el primero en percibir esa tendencia a meter prisa a los niños, que de este modo crecían demasiado aprisa y demasiado pronto. Observaba lo siguiente:

«Los niños agobiados están forzados a cargar con las responsabilidades sociales de la madurez antes de estar preparados para ellas. Vestimos a nuestros hijos con ropa adulta en miniatura, a menudo con marcas de diseño, los exponemos al sexo y a la violencia gratuitos, y esperamos de ellos que afronten un entorno social cada vez más desconcertante: divorcio, familia monoparental y homosexualidad. Debido a todas estas presiones, el niño o la niña nota que tiene que arreglárselas sin admitir la confusión y el dolor que acompañan a tales cambios. Al igual que los adultos, sienten que han de ser supervivientes, y sobrevivir significa adaptarse, aun cuando el superviviente tenga sólo seis u ocho años».[2]

De ahí que el objetivo de este capítulo sea proporcionar un «mapa» sucinto de la senda natural del crecimiento y del desarrollo sanos que los niños recorren desde el nacimiento: siendo un bebé, un pequeño que da sus primeros pasos, un niño, un adolescente y, finalmente, un joven adulto. Esta guía los ayudará a decidir qué es lo apropiado para su hijo y cómo pueden facilitarle, más que impedirle, su proceso de desarrollo; y al mismo tiempo les proporcionará un indispensable telón de fondo ante el cual tanto padres como educadores estarán capacitados para tomar decisiones relacionadas con los medios audiovisuales contando con una mayor información.

Los niños se toman su tiempo

Del mismo modo que las prisas son enemigas del amor, también son un impedimento para que los niños crezcan felices, seguros y sanos. Los niños se toman su tiempo para crecer. Es importante que el niño crezca a un ritmo lento para que el cerebro y el sistema nervioso se desarrollen por completo cuando cumpla unos veinte años. Los niños no son máquinas ni bio-ordenadores: su desarrollo emocional, físico, cognitivo y personal forma un conjunto integrado. Alimentar el cuerpo, el alma y el espíritu del niño, así como ofrecerle un equilibrio entre los límites de seguridad y la libertad de aprendizaje, facilitan un crecimiento saludable.

Fases del desarrollo infantil: bebés y niños pequeños que dan sus primeros pasos

Los niños crecen atravesando una serie de etapas en la vida. Éstas son como una secuencia de nacimientos a los que el niño está sujeto: nacimientos que van acompañados por un proceso de independización tanto física como psicológica. Cada «nacimiento» da inicio al desarrollo de las nuevas posibilidades físicas y psicológicas que caracterizan a las fases emergentes.

El nacimiento más obvio es el físico, el que parte de la madre, pese a que el bebé tarda unos pocos años en volverse emocionalmente independiente de ella. Durante los primeros años de vida, el bebé y el niño pequeño están tiernamente abiertos al entorno; según la definición de Rudolf Steiner, es como si él o ella fueran un «órgano completamente sensorial» influido por cualquier cosa que suceda.

En su libro *Birth without Violence (Nacimiento sin violencia),* el doctor Leboyer describe lo sensible que es el recién nacido al ruido, a las luces deslumbrantes, a los movimientos bruscos y a que le toquen con las manos frías o calientes.[3] Leboyer sostiene que la entrada en el mundo físico se le facilita al niño creando un entorno agradable para que el nacimiento sea parecido al útero —oscuro, cálido y sin gravedad—, donde el bebé encuentra el continuo alivio de los latidos del corazón materno antes de abandonarlo. Los bebés y los niños pequeños son, pues, un puro «órgano sensorial»: al igual que un saco de harina, *su mera existencia* registra cualquier huella que se estampe sobre ellos. El recién nacido es abierto, sensible y vulnerable, una criatura inacabada que depende del cuidado de sus padres y de la calidad de su entorno doméstico.

La única defensa que posee un bebé frente a las impresiones sensoriales molestas es dormir o llorar, o bien, si es posible, desconectar mentalmente (porque huir físicamente no puede). Su tarea es aprender a filtrar y a organizar las impresiones sensoriales; por ejemplo, tardan uno o dos meses en sonreír o llorar en respuesta a la atención de los padres. El cuerpo del bebé es el primer juguete que éste explora, muerde, chupa y siente, junto con otros objetos y personas. Cuando adquiere la habilidad suficiente como para sentarse, puede coger cosas y fijarse en objetos que estén a cierta distancia. Es una alegría observar a un bebé estremeciéndose de placer cuando le dan de comer o intentando atrapar un objeto favorito o mirando y reconociendo a sus padres.

Gateando y poniéndose de pie explora la dimensión vertical, como también ocurre cuando el bebé tira cosas desde la trona para que otros las recojan. Finalmente, llega un momento en que empieza a andar, contento y concentrado.

Durante esos primeros años, la adquisición de habilidades motrices —levantar la cabeza, sentarse sin apoyo, mover los brazos, las manos y las piernas, rodar, gatear, comer y levantarse— da por resultado el crecimiento del cerebro y el desarrollo de las respuestas del sistema nervioso central.[4] Esas habilidades motrices han de ser ejercitadas cuando el bebé lo desee. Los padres que cogen a su bebé, lo abrazan, juegan con él y lo estimulan están contribuyendo a su desarrollo. Si se les deja solos demasiado tiempo o se les estimula más de lo debido —o se les pone al lado de la televisión—, los niños pueden sufrir mucho.

El niño que da sus primeros pasos

Cuando el bebé anda por primera vez, la condición necesaria para su bienestar es que confíe en la bondad y en el apoyo de sus padres. El niño pequeño que da sus primeros pasos es un experimentador en movimiento: trepa, rueda, corre (antes de andar), se abalanza peligrosamente sobre las cosas, pega saltos, se ladea, se cae...

El niño aprende a través del poder de la imitación; instintivamente imita a los adultos y a los niños que le rodean. ¡Qué entretenimiento más divertido era ver a mi hijo de 2 años y a mi hija de 6 imitarnos a la perfección a mi mujer y a mí! Se habían aprendido de memoria nuestros gestos, la entonación, las expresiones familiares más comunes y los modales. Eso ilustra cómo los niños absorben experiencias como el papel secante: todas las costumbres, los sentimientos, las tensiones, las alegrías, las tristezas y la conducta de los adultos a los que imitan. Los hijos de padres violentos tenderán a copiar la violencia; los que tienen padres cariñosos serán propensos a imitar esa conducta. Como dice el psicólogo Steve Biddulph, la regla número uno de la psicología infantil es que los niños *no* son el problema; mucho más a menudo suelen serlo los padres, o la cultura...

Los niños que dan sus primeros pasos son grandes exploradores de su terreno circundante; con los dedos y con la lengua abren armarios, los vacían, tocan diferentes texturas, se entretienen jugando con la arena y el agua y, en general, experimentan con cosas. Necesitan experimentar de primera mano la realidad y la «bondad» del mundo: tocar, probar, oler, oír, ver y sentir su mundo.

Durante los tres primeros años verá que el niño, según va creciendo, aprende a andar, a hablar y a pensar. Se ha dicho que un niño aprende en los tres primeros años más que en el resto de su vida.

El desarrollo del lenguaje y del habla surge del balbuceo primitivo de los bebés y de las muestras de cariño e intimidad entre los padres y el niño. Una persona real que quiera comunicarse con un bebé es la condición previa para el desarrollo del lenguaje. Los niños pequeños sólo pueden aprender a hablar con propiedad a través del contacto real con seres humanos que hablen de verdad, y nunca insistiremos lo bastante en que *ningún sustituto tecnológico, por muy sofisticado que sea, puede nunca reemplazar ese contacto humano real.*

Del balbuceo, los signos y los gestos surge la habilidad del bebé para imitar un sonido determinado y, luego, cuando cumple unos 9 meses, la articulación de algunas sílabas. El mundo interior de lo que oye y entiende, que se convertirá en la base del pensamiento, está continuamente enriqueciéndose por las personas que le rodean y que mantienen conversaciones reales con él o entre ellas.

En el segundo año, los niños empiezan a «nombrar» cosas —como cuando Adán recorría el Jardín del Edén—, proceso que les provoca un gran deleite. Juegan con las palabras por el mero placer del sonido y de la necesaria actividad muscular de la lengua. A nuestros hijos, por ejemplo, les encantaba decir deliberadamente palabras como «basguetis» en lugar de «espaguetis».

Hacia el tercer año, cuando el niño empieza a decir «yo» refiriéndose a sí mismo —«yo quiero» en lugar de «quiero» o «Lucía quiere»—, está nombrándose a sí mismo como centro de sus experiencias, sentimientos y conducta. El lenguaje interior del niño y el habla continúan desarrollándose de tal modo que cada vez utiliza más palabras para comunicar sentimientos, en sustitución del anterior lenguaje por signos. El desarrollo completo del habla y del lenguaje tiene lugar normalmente a la edad de 6 o 7 años, o incluso más tarde.

Así pues, los tres primeros años son absolutamente cruciales en la vida de una persona. La privación sensorial, emotiva y física retarda a los niños, mientras que la estimulación excesiva les pone nerviosos, descontentos e inquietos. Las impresiones sensoriales que recibe el niño acceden directamente a sus órganos sensoriales, ya que, a diferencia de los adultos, les resulta más difícil filtrar la información no deseada. De manera que el entorno doméstico tiene efectos de amplio alcance. Si los padres optan por poner a su bebé a dormir enfrente del televisor, o si deciden dejar a su hijo de 2 años a merced de las vertiginosas imágenes electrónicas de la televisión cuando sus delicados sentidos son tan vulnerables, con toda certeza tendrán que contar con unos efectos muy arraigados.

El niño de 3 a 6 años: la edad de jugar

Cada etapa de la infancia necesita desplegarse en todos los aspectos con el fin de que los cimientos para la siguiente fase estén perfectamente asentados; de ahí que el presente libro ofrezca un mapa general más que uno apropiado para cada niño en particular. Cada niño se desarrolla a su ritmo, aunque la capacidad de andar, hablar, pensar y decir «yo» esté normalmente consumada cuando cumple unos tres años.

El niño va adquiriendo gradualmente independencia física, movilidad y coordinación con el mundo. Sabe vestirse solo, atarse los cordones de los zapatos, lavarse y dormir toda la noche sin mojar la cama (a la edad de 5 o 6 años). Además realiza todo tipo de actividades lúdicas; de hecho, a veces se dice que «el trabajo de un niño es el juego». Lo que hacen los adultos —limpiar la casa, fregar, arreglar el jardín, cavar, conducir, cocinar y cuidar de los niños— lo imitan jugando. La imitación da lugar a la magia del juego. Un tapete de piel de cordero se transforma en un bote, una sábana verde hace de vela, una silla de mástil y la alfombra de océano. Un trozo de plastilina se convierte en un audífono para la muñeca, una pajita hace de estetoscopio para jugar a médicos. Unos retales, ropa vieja y muñecas viejas pueden servir para desarrollar la imaginación de todas las maneras posibles.

Las muñecas demasiado reales o las copias exactas de objetos tienden a anular la magia imaginativa que los niños son capaces de extraer de unos cuantos trozos de tela. Jugar con esas muñecas u objetos no es nada fácil, como reconocerá cualquier adulto que haya jugado un rato largo con ellos.

A esta edad, también necesitan enriquecerse con canciones, versos e historias que los lleven, desde el punto de vista práctico e imaginativo, a una relación más profunda con la tierra, las piedras, las plantas, los árboles, los animales y la gente que los rodea. Las clásicas canciones infantiles, los juegos y los cuentos parecen hechos a propósito para que los niños adquieran un amplio vocabulario, un sentido del ritmo y de los números, una conciencia del lenguaje y una imaginación más acendrada.

Las conversaciones con adultos son importantes. Es necesario responder a las preguntas de los niños con cuidado, pero sin darles una información pedante ni excesivamente racional. La etapa de preguntar incesantemente «¿por qué...?», que puede ser tan irritante para un adulto ocupado o preocupado, no significa que pidan información, sino que representa la necesidad de seguridad que les da la repetición. Luego vienen las preguntas «por qué, dónde, cuándo, cómo y qué», que proceden de un interés incipiente por las personas y la vida. En un día ajetreado puede que no dé tiempo a entablar esas breves conversaciones, aunque de todos modos las horas de la comida suelen proporcionar una buena oportunidad para ello. Cuando nuestros hijos eran pequeños notaba siempre que tenían necesidad de hablar antes de irse a la cama, de repasar las incidencias del día y de discutir cosas fastidiosas o de especial interés.

Desde el punto de vista físico, el niño se vuelve más independiente de sus padres y empieza a conocer el mundo directamente, por sí solo. El movimiento en el espacio lo conquista el niño una vez que perfecciona sus habilidades motrices; la destreza manual surge con actividades como pintar o jugar a las construcciones; gradualmente va aprendiendo a mantener el equilibrio y a tener sentido de la orientación.

Desde una perspectiva social, los nuevos hábitos los adquiere el niño cuando se vuelve más consciente de sí mismo y del lugar que ocupa entre sus amigos, en casa o en el grupo de juego. Tiene que aprender a llevarse bien con los demás, a jugar con otros niños; también debe acostumbrarse a un hermano o hermana pequeños y a relacionarse de otra manera con su padre y con su madre.

El sentido del tiempo también hay que cultivarlo. Desde el nacimiento en adelante, el bebé tiene que aprender a dormir y a despertarse, que es la primera actividad que supone una sucesión rítmica del tiempo. La memoria personal de un adulto generalmente sólo se remonta al período en que, de niño, aprendió a decir por primera vez «yo».

Sólo se puede evocar a propósito recuerdos de la infancia a partir de ese momento. Cada día es una unidad completa para el niño, y su sentido de la identidad se fomenta cuando tiene lugar regularmente la misma secuencia de sucesos, ya que para los niños el tiempo es igual de amplio que el espacio. La mayoría de nosotros somos capaces de recordar el tiempo que media entre un cumpleaños y otro, entre unas Navidades y otras. El ritmo de los hábitos regulares, la progresión de una estación del año a la siguiente, es lo que establece gradualmente el sentido de uno mismo dentro de los patrones cambiantes de la vida.

La plenitud de la infancia: de 6 a 12 años

Una vez que domina físicamente su cuerpo y se ha abierto camino en el mundo a través del juego, el niño sucumbe a una «crisis vital» cuando cumple seis o siete años. Dicha crisis está marcada por la pérdida de los dientes de leche y por la segunda dentición. Durante los siete primeros años del niño, sus energías han estado orientadas a formar, organizar y dominar físicamente el cuerpo.

A los 6 o 7 años, la organización física y las funciones neuromusculares están completas, lo que permite que las fuerzas biológicas encargadas de estructurar el cuerpo se dediquen a otros propósitos. Esas fuerzas liberadas son absorbidas por el pensamiento en imágenes y por la imaginación del niño. En esta fase el niño puede empezar a separar un objeto que vea de la imagen interior o de la idea que tenga de él. Es capaz de separar la imaginación de las cosas con las que está jugando: por ejemplo, puede empezar a representar en sus dibujos —de un modo más característico— la casa o la persona que tenga en mente. Esta liberación de las fuerzas hasta ahora dedicadas al crecimiento y al desarrollo físicos puede describirse como otro «nacimiento»: el nacimiento de una imaginación más independiente y de una capacidad para emplazar pensamientos en una secuencia que es más comprensible para el pensamiento lógico de un adulto. Por muy interesante que sea esto, no tiene lugar hasta después de que se haya alcanzado el máximo ritmo de crecimiento del cerebro en los primeros años, pues éste empieza a desacelerarse entre los 5 y los 6 años de edad.

Tradicionalmente, la edad de ir al colegio y aprender a leer, escribir y trabajar con números era a los siete años.[5] Del mismo modo que los niños necesitan espacio y tiempo para aprender a andar, hablar y jugar antes de que se les exijan más cosas, así también el desarrollo *intelectual* y *cognitivo* no debe ser forzado prematuramente antes de que las fuerzas del crecimiento (que están en fase de volverse capaces de pensar y de imaginar) estén completamente libres de su vital «labor de construcción» física del cuerpo. De ahí que aprender a leer y escribir demasiado pronto pueda provocar una leve debilidad física en los niños que están creciendo.

Luego, el desarrollo atraviesa la fase de «la plenitud de la infancia», desde los 7 hasta aproximadamente los 11 años de edad. En este período se incrementan las posibilidades creativas, pues empiezan a destacar las capacidades imaginativas. Los niños dejan la etapa de «aprender a través de la imitación y el juego» y empiezan a crear artísticamente y de muchas maneras diferentes. Su vida imaginativa es intensa, y están sedientos de historias. Por eso los cuentos de hadas, las fábulas, los mitos y las leyendas son una fuente de enriquecimiento de la vida interior de los niños. En esta fase les encanta ver y pintar imágenes.

Las facultades creativas de los niños deberían ser estimuladas de muy diversas maneras: por ejemplo, representando una obra, contando cuentos, pintando, practicando música, haciendo artesanía, modelando o participando en algún juego. A través de los juegos, los niños aprenden aspectos de la vida social: cómo establecer, romper y cambiar las reglas de diferentes juegos y cómo prepararse para el gran «juego» de la vida social.

El lenguaje se desarrolla más allá del «juguete», como denomina Jean Piaget al lenguaje de los primeros años, y como un medio para dar órdenes durante el proceso del juego. El lenguaje se convierte en un medio de comunicación de los sentimientos, las preferencias y las aversiones. Entonces surge el sentido de la poesía, del verso y del significado, a menudo atrincherados en las seculares rimas de la «cultura infantil».

El nacimiento de las preferencias y las aversiones —del mundo emotivo— anima a los niños a explorar conceptos opuestos como bueno y malo, bonito y feo, rico y pobre. A través de las historias o de los juegos los niños aprenden a despejar sus propias dudas —tanto sentimentales como de los valores personales— gracias al reino de los sentimientos que se está creando en su interior. Así como antes ex-

ploraba el mundo del tiempo y del espacio, ahora explora minucio-
samente el de los sentimientos.

Una consecuencia de esta exploración imaginativa del sentimiento es un incipiente sentido de la conciencia interior, de la moralidad,
de lo que está bien. Los niños más pequeños no pueden entender por
qué una acción está mal, pese a que un niño de 4 años se mostrará
conforme con lo que diga un adulto querido que está bien o mal. Para
ese niño romper tres platos accidentalmente puede ser «peor» que
romper uno deliberadamente. Más tarde, con 6 o 7 años, los niños
suelen aceptar los juicios de los adultos sobre las acciones que están
bien o mal; pero conviene ayudarlos, por ejemplo, contándoles una
historia imaginativa acerca de cómo se habrá sentido el amigo al que
robaron su juguete favorito. En lugar de dogmáticas afirmaciones
morales, los niños necesitan experimentar *a través de sus sentimientos*
el daño, la pérdida o las lágrimas causados a otros por sus acciones.
Esto prepara el camino para sentirse personalmente responsable de
las propias acciones, para razonar acerca de lo que está bien o mal y
para adquirir estándares de reglas básicas que sirvan de guía de la propia conducta.

La así llamada «crisis de los nueve años», reconocida por la peda-
gogía de Steiner (Waldorf), se nota por ejemplo en que los niños se
preguntan si sus padres son realmente suyos, ponen en duda la autoridad del profesor y albergan sentimientos de duda y de soledad. El
mundo de la imaginación y el de la realidad exterior se escinden: ya
no existe una fórmula mágica para transformar el mundo a través de
la imaginación. El niño se percibe a sí mismo como en una isla, como
un yo más independiente, experiencia que anticipa el desarrollo muy
posterior de una madura individualidad adulta. Los niños necesitan
que se los ayude a adquirir una relación más consciente entre el mundo objetivo y su mundo interior; esto se puede conseguir, por ejemplo, inculcándoles cariñosa pero realistamente el estudio de los animales o las plantas. La confianza en los profesores y en los padres ha
de ser restablecida en un nuevo nivel, en uno que reconozca que estos adultos, después de todo, quizá no sean omnisapientes.

Superada con éxito, la crisis de los nueve años aporta al niño una
mayor conciencia del pasado, del presente y del futuro: de las consecuencias de sus acciones. El sentido moral de la conciencia empieza

a desarrollarse. El tiempo adquiere una nueva dimensión, y el niño es capaz de relacionar sucesos del pasado y conectarlos con el futuro. En el vocabulario coloquial aparecen expresiones como «cuando yo era pequeño...» o bien «cuando cumpla doce años...» —un hito de grandes dimensiones de libertad— «... podré hacer esto y lo otro».

La percepción moral y el sentido de la conciencia empiezan a aparecer, y esto requiere ser fomentado a través de los cuentos, las biografías y también la historia. Por ejemplo, los problemas que tuvo Moisés para conducir a los Hijos de Israel hasta la Tierra Prometida; o las preocupaciones de los dioses escandinavos con Loki, del que nunca sabían a ciencia cierta si estaba ayudándolos u obstaculizando sus propósitos. Historias como el consagrado relato del Rey Alfredo y los pasteles ilustran dramáticamente los problemas sobre la justicia y la objetividad en los conflictos sociales. La conciencia social del niño que está creciendo puede adquirirse a través de cuentos y pinturas imaginativas, es decir, nutriendo las facultades críticas del intelecto que se va formando y que anuncia la proximidad de la pubertad.

Eva Frommer sintetiza la etapa de 7 a 10 años de la manera siguiente:

> «Durante esos cuatro años el niño atraviesa inmensos campos experimentales que están abiertos a él sólo durante ese período, y durante ningún otro, de una manera completamente natural. Dichos campos le enseñan aspectos relacionados con sentimientos y hostilidades, con el mundo vivo como parte de sí mismo, con su propia experiencia y con el prójimo. Y entonces brota en él la necesidad de convertirse en uno más y de vivir, aprender y trabajar en compañía, así como de comunicarse con los de su especie. Por último, al final de ese período, llega de un modo un tanto abrupto a encontrarse consigo mismo y a buscar un puente que una su vida interior con su vida exterior. Se trata de una recorrido épico que requiere la comprensión, la orientación y el compañerismo de los adultos responsables de cuidarlo.»[6]

A los 11 y 12 años, los niños se encuentran en el umbral de una nueva fase de la experiencia: la de la pubertad y la de la adolescencia. A no ser que ya hayan pasado la pubertad, los niños de esta edad suelen tener una gracia y una confianza en sí mismos irrepetibles. Las enormes aptitudes creativas y el entusiasmo del período de la «plenitud de la infancia» siguen prosperando, al tiempo que la habilidad para pensar de forma más lógica y objetiva puede experimentar un fuerte desarrollo. Tradicionalmente, los doce años era la edad a la que los niños se sometían a una transición hacia la enseñanza secundaria, de orientación más intelectual, cambio que coincidía con un fortalecimiento de las facultades lógicas.

Hacia los 12 años, los sentidos y el cerebro han madurado: el hemisferio derecho y el izquierdo están más especializados, y el puente del cuerpo calloso que los conecta está completamente desarrollado. Sin embargo, este proceso de maduración continúa, aunque más lentamente, durante la adolescencia. Las investigaciones cerebrales indican que los cerebros de los adolescentes siguen madurando, y que los cambios biológicos que capacitan a los sentimientos para estar bien integrados con el pensamiento y con el discernimiento pueden no producirse hasta cumplir los veinte años.

Diferencias particulares entre las relaciones de los niños con la pantalla

Desde luego, la intuición acerca del desarrollo general de la infancia sirve de gran ayuda, pero también es útil comprender a su hijo en particular y saber cómo reacciona ante las situaciones y ante las personas. En su libro *Children are from Heaven (Los niños vienen del cielo)*, John Gray describe los cuatro temperamentos de los niños pequeños: el niño colérico o activo, el niño sanguíneo o entusiasta, el niño sensible o melancólico y el niño receptivo o flemático.

Niños activos: A los niños también llamados «coléricos» les gusta hacer cosas y obtener resultados, y están llenos de energía. Pueden cansarse pronto de la televisión, ya que esa experiencia es demasiado pasiva para ellos, a no ser que se trate de un programa de pura acción. No se sienten cómodos estando sin hacer nada, y los videojuegos que requieran acción pueden resultarles más interesantes. Necesitan una estructura, un padre o una madre que les proporcione una orientación y unas reglas claras, de modo que sepan dónde están y se sientan seguros. ¡Piense en el tigre de *Winnie the Pooh*!

Niños sensibles: También conocidos como «melancólicos», son más introvertidos, vulnerables y sentimentales, y tienen una aguda conciencia de cómo reaccionan ante los demás. Aprecian que sus padres los escuchen y los comprendan y necesitan mucha empatía. Resisten al sufrimiento del mundo y necesitan saber que usted también sufre. Pueden acabar aislados, por lo que dejarlos solos viendo la televisión puede incrementar su aislamiento, y el contenido de los programas a veces puede sobrecargar su sensibilidad. Es posible que se replieguen y se preocupen muchísimo por lo que ven, a diferencia del niño activo o colérico, que a todo le quita importancia más fácilmente. ¡Eeyore es un melancólico!

Niños entusiastas: A estos niños «sanguíneos» les gustan los cambios, la estimulación, tienen muchos intereses y son sociables y extrovertidos. Viven al día y les entusiasma tener intensas experiencias sensuales del mundo. Pueden revolotear como mariposas de una cosa a otra, dejando a menudo todo desordenado o a medio terminar. Se distraen con facilidad y enseguida se olvidan de lo que les había pedido que hicieran o de lo que estaban haciendo. Disfrutan reaccionando ante la experiencia de la vida y necesitan estímulos, pero se cogen una rabieta si algo no es de su agrado. Si se los deja delante de una pantalla, pueden ser atrapados por las imágenes continuamente cambiantes, lo que tal vez los estimule en exceso. Son los que más necesitan que se les apague la televisión, porque les puede gustar mirar simplemente el resplandor que emite. Y como los videojuegos están diseñados para mantener la atención, también necesitan ayuda para utilizarlos con sensatez. Pero al mismo tiempo son fáciles de distraer con otra actividad que sea más interesante, de modo que entonces usted pueda apagar tranquilamente el televisor. Piglet es un ejemplo de un tipo sanguíneo o sensible. Y finalmente:

Niños receptivos: Estos tipos denominados «flemáticos» necesitan un ritmo diario regular, como Winnie the Pooh con sus tentempiés a las once de la mañana y a las cuatro de la tarde. No les gustan las sorpresas y quieren saber lo que les espera; les gusta la rutina, la repetición, el ritmo y el orden, del que extraen una sensación de comodidad. Les encanta ver pasar el tiempo, soñar despiertos, estar simplemente sentados viendo algo, así como la ley del mínimo esfuerzo. De este modo, si una hermana activa ha intentado una y otra vez hacer equilibrios con ladrillos, un niño receptivo que la haya estado observando atentamente puede lograr hacerlos ¡a la primera! Sin embargo, si se los deja solos viendo la televisión o jugando con videojuegos, pueden adquirir un hábito muy arraigado y difícil de cambiar porque se sienten cómodos. Así que necesitan que los padres los ayuden poniéndoles tareas o animándolos a que desarrollen sus propios intereses. También necesitan rituales como, por ejemplo, un cuento todas las noches a la hora de acostarse, una tostada y un huevo pasado por agua todos los domingos para desayunar, y natación dos días a la semana.

Aunque este esquema de los temperamentos puede ser una guía de utilidad, es igualmente importante recordar que *cada niño es un individuo único*; y aunque es normal que predomine uno de los temperamentos en la infancia, al cabo de los años éstos se vuelven más equilibrados. Sin embargo, las estrategias desarrolladas por John Gray para comunicarse con todos ellos realmente funcionan:

- Escuchar y comprender al niño sensible
- Crear estructuras y reglas para el niño activo
- Distracción y reorientación para niños entusiastas
- Ritual y ritmo para niños receptivos

Se trata de unas sugerencias muy útiles si usted quiere limitar el uso de la pantalla y sustituirlo por alternativas más saludables.

En resumidas cuentas...

1. Los niños se toman su tiempo para desarrollarse y necesitan crecer en un hogar seguro, enriquecedor y lleno de ternura. Asimismo necesitan que haya un equilibrio entre libertad de aprendizaje, límites de seguridad y buenos alimentos para el cuerpo, el alma y el espíritu.
2. Dada la complejidad del desarrollo y del crecimiento infantil, que tiene lugar paso a paso, ¿cómo podemos ayudar a los niños a que disfruten de lo que es apropiado a su debido tiempo, en lugar de meterles prisa para que hagan «demasiadas cosas demasiado pronto»?

3. Los medios electrónicos estimulan en exceso a los bebés y a los niños pequeños, que son sumamente vulnerables al mundo.

4. Los niños prosperan cuando son queridos, cuando se respetan las necesidades de su desarrollo y cuando se les permite tener una auténtica infancia.

5. Los niños pequeños aprenden de primera mano el mundo real a través del cuerpo, los sentidos, el movimiento y el juego. ¡No son *couch potatoes* —los que no se despegan del televisor— por naturaleza! Los padres pueden optar por guardar los medios electrónicos y el mundo virtual para más adelante, cuando los niños mayorcitos y los adolescentes posean más recursos para enfrentarse a ellos y una capacidad más desarrollada para un discernimiento maduro y consciente.

¿Cómo afectan entonces los medios electrónicos a los niños y a su crecimiento?

4. Riesgos físicos de la cultura de la pantalla I

Efectos sobre el cerebro y los sentidos

«Yo creía que la televisión iba a ser la última gran tecnología que la gente aceptaría con los ojos cerrados. Ahora tenemos el ordenador.»

Neil Postman[1]

Es tal la cantidad de riesgos físicos y fisiológicos que corren los niños como resultado de la cultura de la pantalla, que su examen minucioso requiere dos capítulos enteros. En este capítulo examinaremos los efectos de la cultura de la pantalla en el cerebro y en los sentidos, y en el capítulo 5 estudiaremos en detalle las cuestiones de la luz y las diversas lesiones de movilidad (como por ejemplo, los daños causados por los esfuerzos repetitivos y las lesiones musculoesqueléticas).

Los padres a menudo preguntan: «¿Cuál es la edad apropiada para que mi hijo empiece a ver la televisión o a usar el ordenador?». He aquí una cuestión clave; y es importante que cada familia asuma la responsabilidad de decidir por sí sola y calcular su propio «balance» global de las ventajas y los peligros que los medios electrónicos deparan a sus hijos, valoración a la que ayudará la lectura de este libro. Así pues, el propósito de este capítulo y del siguiente es proporcionar una amplia visión de conjunto de las pruebas llevadas a cabo por la investigación acerca de los efectos secundarios físicos, sociales y emotivo-conductistas de la cultura de la pantalla. De este modo, las familias

pueden utilizar esta información para tomar decisiones apropiadas desde un punto de vista más informado.

Recuadro 3

La historia de la introducción de las nuevas tecnologías de los medios electrónicos no ha estado guiada por la medida de precaución de investigar primero sus efectos secundarios. En los años 50, por ejemplo, muchos televidentes recibieron más radiación de sus televisores que de las emanaciones de las pruebas nucleares[2]. Un ejemplo reciente de la investigación es que los niños mayorcitos absorben hasta un 50% más de radiación en sus cerebros cuando utilizan teléfonos móviles. La radiación penetra hasta el centro del cerebro de un niño de cinco años porque su cráneo es más pequeño y tiene las paredes más delgadas. Aunque los investigadores creen que los indicios de que la radiación de los móviles suponga un riesgo para la salud son poco convincentes (entre otras cosas, porque todavía no se ha podido llevar a cabo una investigación a largo plazo), hay cierta preocupación por su potencial vínculo con los tumores cerebrales, la pérdida de memoria, una actividad cerebral irregular y dolores de cabeza. Según un informe de sir William Stewart, el gobierno británico ha advertido que los menores de 16 años deberían limitarse a hacer sólo llamadas esenciales y a que éstas sean lo más breves posible.[3]

Hay muchos estudios sobre los peligros que acarrean los medios electrónicos para los niños. Dado que tanto la televisión como los ordenadores utilizan un tubo de rayos catódicos (CRT o VDT —terminal del despliegue visual—) (aunque ahora se están generalizando las más inofensivas pantallas de cristal líquido), se los agrupa bajo el término común de «medios electrónicos». El importante informe de la Alliance for Childhood *Fool's Gold* formula una útil clasificación de los efectos que tiene la cultura de la pantalla para la salud, cuya síntesis aparece resumida en el recuadro 4.

Recuadro 4

Riesgos potenciales de los medios electrónicos para la salud

Demasiada exposición a los medios electrónicos puede desencadenar los siguientes riesgos potenciales para la salud y obstáculos en el desarrollo de los niños pequeños:

Efectos físicos
- Dificultades para desconectar el aparato
- Sentidos embotados, tensión ocular e insuficiente estimulación del cerebro en desarrollo
- Salud y luz
- Efectos secundarios de las emisiones tóxicas y de la radiación electro-magnética
- Daños causados por esfuerzos repetitivos (RSI), lesiones musculo-esqueléticas
- Obesidad infantil, falta de ejercicio y trastornos en la movilidad

Efectos sociales y emocionales
- Aislamiento y repliegue social
- La droga de la conexión: adicción electrónica
- Reducción del juego
- Explotación comercial
- Conducta antisocial

Efectos cognitivos
- Cerebro desorganizado
- Menos creatividad e imaginación
- Empobrecimiento del lenguaje y del alfabetismo
- Escasa atención e incapacidad para concentrarse
- Visión empobrecedora del mundo
- Efectos educativos

Efectos morales
- Exposición a un material inapropiado, como la violencia y la pornografía
- Desensibilización debida a una sobrecarga de información[4]

Un amplio abanico de efectos físicos

¿Por qué resulta difícil apagar el aparato?

Los medios electrónicos son fáciles de encender, pero difíciles de apagar. Las causas de esa dificultad residen tanto en el contenido como en el medio. De un modo u otro, los niños necesitan ayuda para apagarlos porque la televisión y la VDT inhiben las funciones cerebrales implicadas en el proceso de tomar decisiones.

¿Por qué no despegamos los ojos del televisor?

La visualización radiográfica electrónica genera las «imágenes» de la televisión o del ordenador. Innumerables pequeños puntos fosforescentes que forman 625 líneas (o 525 en Norteamérica) son activados por un dispositivo explorador de los rayos catódicos que dispara electrones en las líneas alternas. En una trigésima parte de un segundo, el dispositivo explorador rastrea dos veces la pantalla para activar las líneas alternas de puntos fosforescentes. El ojo percibe cada punto y éste es transmitido al cerebro. Luego, el cerebro «rellena» los puntos de cada zona rastreada por debajo del nivel de nuestra conciencia. La única imagen existente es la que creamos en nuestro cerebro a base de unir los puntos necesarios: unos puntos dispersos como los de un colador de té o como los de los cuadernos para colorear de los niños en los que hay que unir los puntos para formar líneas.

La generación de puntos iluminados 30 (o 50) veces por segundo somete a un esfuerzo al sistema visual, ya que el ojo y el cerebro consciente sólo pueden registrar estímulos visuales a 20 o menos impulsos por segundo. La experiencia de «no mantenerse del todo a la altura» del ritmo electrónico del dispositivo explorador es un factor físico relacionado con que no despeguemos los ojos de la televisión.

Seguramente haya vivido la común experiencia de estar en una habitación con el televisor encendido. Aunque no le interese nada el contenido del programa y esté haciendo alguna otra cosa, los ojos se le van y «quedan atrapados» por la pantalla.

«Viendo la televisión se tiene el mismo nivel de conciencia que un sonámbulo»

Los investigadores australianos Fred y Merrelyn Emery han sugerido una segunda causa para la incapacidad de apagar la televisión. Creen que el tipo especial de luz que emiten los CRT «obstruye» la mente. Al sistema nervioso humano le cuesta trabajo enfrentarse a la luz, en primer lugar, porque es «radiante» y no «ambiental» y, en segundo lugar, porque se enciende y se apaga rápidamente.

La mayor parte de los objetos que miramos no molestan a los ojos: emiten una luz ambiental o reflejada. Pero si se mira a una fuente de luz propiamente dicha, se recibe una luz radiante muy intensa. Los Emery argumentan que el sistema perceptivo humano ha evolucionado para arreglárselas con la luz ambiental, pero no con la radiante. Como el proceso evolutivo no ha desarrollado la vista humana para que mire una luz radiante, ni siquiera intentamos hacerlo.

La segunda causa de que la mente «se obstruya» es el rápido centelleo de la luz a una velocidad de, más o menos, 50 o 60 veces por segundo. Ese rápido titileo provoca «hábito», es decir, el cerebro se acostumbra a la velocidad de los centelleos luminosos y se queda fijo en ellos, de tal manera que el contenido del programa resulta desplazado. Los Emery comparan la televisión con un hipnotizador tecnológico: el cerebro es dominado por la señal: «Si los televidentes siguen viendo la televisión, lo más probable es que no reflexionen sobre lo que están viendo».

La hipótesis de que la televisión funciona como una fuente de luz radiante y repetitiva que «obstruye» el cerebro puede explicar por qué mucha gente se describe a sí misma como «hipnotizada» por el medio. Observe cómo ve la gente la televisión: la mirada fija, la cabeza quieta, el mínimo movimiento de los ojos, que abarcan toda la pantalla de una manera ligeramente desenfocada. En la visión normal, en cambio, los ojos están continuamente moviéndose y enfocando. Dado que los ojos enfocados son generalmente una señal de atención consciente, entonces el «aspecto de zombi» de los televidentes puede ser interpretado como un estado de conciencia similar al trance, más bien semiconsciente o semejante al sueño. Los Emery creen que «viendo la televisión se tiene el mismo nivel de conciencia que un sonámbulo». En otras palabras, los televidentes son mantenidos despiertos a duras penas por el medio.[5]

Los Emery basan sus hallazgos en experimentos que han conmocionado comprensiblemente la manera de usar la televisión para anunciar productos y hacer propaganda política. El modo en que el «fenómeno televisión/cerebro» podía proporcionar «acceso directo a las mentes de la gente» fue de hecho descubierto por accidente.[6]

El fenómeno televisión/cerebro

El fenómeno televisión/cerebro ha sido investigado desde 1980 porque los anunciantes se dieron cuenta de que los medios electrónicos poseían la gran ventaja de proporcionarles acceso directo a las mentes de la gente. Tony Schwartz, consejero de los medios de comunicación del ex presidente de Estados Unidos Jimmy Carter, decía lo siguiente: «No nos preocupa hacer comprender cosas a la gente, sino quitarle cosas a la gente. En este sentido, los medios electrónicos son particularmente efectivos, ya que nos permiten tener acceso directo a sus mentes.»[7]

Aunque la televisión puede estar enchufada durante un largo período, la gente sólo la suele mirar intermitentemente. Esto es lo ideal para los anunciantes o para los que buscan cambios de actitud a través de la televisión. Tony Schwartz, que usaba la televisión «como una puerta a tu casa, incluso como una puerta a tu mente», escribió lo siguiente: «El reciente cambio de actitud ha demostrado que la condición más favorable para influir en la actitud de alguien implica una fuente de la que el oyente dependa o en la que crea, aunque no atienda a ella activa ni críticamente».[8]

Herbert Krugman, que más tarde se convertiría en director de la investigación sobre la opinión pública de General Electric Connecticut, estudió las respuestas fisiológicas del cerebro a la televisión. Utilizando electrodos prendidos de las cabezas de los sujetos, observó los dibujos de las ondas cerebrales en un encefalograma. Tras repetidos ensayos con televidentes, se vio que en el plazo de 30 segundos las ondas cerebrales cambiaban de ondas beta —que indican alerta y atención consciente— a ondas alfa. Estas últimas indican una falta de atención receptiva desenfocada, que es la condición del subconsciente soñar despierto y deambular sin rumbo. Krugman quedó impresionado por la velocidad a la que surgía el estado alfa. A los lectores de libros y revistas les aparecen las ondas beta, que son una señal de alerta, de atención y de la conciencia de la vigilia.

Se hizo otro experimento con diez niños viendo su programa televisivo favorito. El doctor Eric Pepper, de la State University de San Francisco, había formulado previamente la hipótesis de que como los niños estaban interesados, los dibujos de las ondas cerebrales alternarían entre las ondas beta y las alfa. Sin embargo, «no lo hicieron. Los niños se arrellanaron en las butacas y estuvieron casi todo el rato en alfa. Esto significa que mientras estaban viendo la televisión, ni reaccionaban ni se orientaban ni enfocaban; sencillamente estaban "alelados"».[9]

Una explicación del fenómeno televisión/cerebro es que la televisión cierra la parte izquierda del cerebro, que es la de la lógica, y deja el hemisferio derecho abierto a las imágenes entrantes. El hemisferio izquierdo del cerebro se encarga de la lógica secuencial, las palabras, el análisis y el razonamiento. Sólo procesa un estímulo cada vez, lo que da lugar a metódicas secuencias de pensamiento. La parte izquierda del cerebro «se desconecta» cuando uno ve la televisión. El hemisferio derecho se ocupa de las imágenes, los colores, los ritmos y las emociones, y procesa la información emocionalmente, no críticamente. El cerebro izquierdo recoge el *contenido* de lo que alguien dice, mientras que el derecho admite el gesto no verbal, el tono de voz y la mirada.

Mientras vemos la televisión, la parte derecha del cerebro, que no es crítica, puede trabajar sin ser molestada. Krugman escribía en su informe:

> «Da la impresión de que la modalidad de respuesta a la televi-sión es más o menos constante y muy diferente de la respuesta a la letra escrita. Esto significa que la respuesta eléctrica básica se debe claramente al medio y no a la diferencia de contenido. La televi-sión es... un medio de comunicación que transmite sin el menor esfuerzo enormes cantidades de información en las que no se piensa mientras se está expuesto a ella».[10]

Los Emery también consideran que ver la televisión disminuye la vigilancia y la preparación para la acción:

«La naturaleza de los procesos que tienen lugar en la corteza cerebral izquierda, y particularmente en el área treinta y nueve (el centro integrador común), es única del ser humano y opuesta a la de otros mamíferos. Es el centro de la lógica, de la comunicación humana lógica, del análisis, de la integración de los componentes sensoriales y de la memoria, base de las habilidades y de las acciones conscientes e intencionadas del hombre. La función crítica del hombre es lo que le hace característicamente humano».[11]

Para concluir, el fenómeno televisión/cerebro puede dar cabalmente cuenta de por qué resulta tan difícil apagar los medios electrónicos. El medio desconecta la parte izquierda del cerebro, la lógica, y conecta la corteza derecha, la no crítica, que procesa las imágenes «en las que no se ha pensado mientras se estaba expuesto a la televisión». No es sólo que sea difícil apagar el televisor, sino que además el medio le pone a uno en un estado semiconsciente, de duermevela, como «alelado».

Oponer resistencia a la «respuesta eléctrica básica del cerebro al medio»

Sin embargo, con arreglo a los hallazgos de la investigación sobre los hemisferios cerebrales, es posible elegir la modalidad de pensamiento con la que abordamos una actividad. Ciertamente, para muchos usos del ordenador —como procesar textos, hacer hojas de cálculo, enviar e-mails y jugar— necesitamos estar alerta. Pero según investigadores como Krugman y Emery, hemos de hacer un esfuerzo extraordinario con ese tipo de tareas porque nuestras mentes están *oponiendo resistencia* a «la respuesta eléctrica básica del cerebro». Esto podría explicar la fatiga que sentimos al trabajar con los ordenadores.

Robert Ornstein, un eminente investigador del cerebro, sugiere que la parte izquierda y derecha del cerebro están especializadas en la manera de pensar por la que optan las personas. Esta clase de pensamiento no tiene por qué ser controlada por el medio al que se enfrentan. Los televidentes pueden, pues, ver la televisión analítica y críticamente: percibiendo los ángulos de la cámara, los vínculos entre sonido e imagen utilizados en el montaje, así como los fotogramas. Sin embargo, si uno hace eso (intente, por ejemplo, tomar apuntes de un documental de modo que sus ojos alternen entre la pantalla y el bloc), puede notar que es zarandeado entre el estado analítico beta y el estado alfa. Tales experimentos implican lo que Krugman denomina «resistencia» a la «respuesta eléctrica básica del cerebro al medio».

Ver la televisión casi nunca estimula la atención consciente. Cuando estamos cansados y queremos relajarnos, el esfuerzo de prestar una atención crítica no nos merece la pena. En cualquier caso, Marshall McLuhan sostenía que la «respuesta al medio puede estar perfectamente al nivel del sistema nervioso, que provoca un mayor efecto independientemente del análisis crítico por parte del televidente».[12]

¿Cuáles son las consecuencias para los niños?

Las consecuencias del fenómeno televisión/cerebro para los niños son de amplio alcance. En primer lugar, son mucho más impresionables que los adultos, según la investigación de Krugman. Como hemos visto, están muy abiertos a las imágenes electrónicas y, por lo tanto, al estado de «alelamiento» al que induce el medio. En segundo lugar, si efectivamente los medios electrónicos inhiben el área de la toma de decisiones del cerebro, entonces los niños sencillamente son incapaces de apagar el televisor y, en consecuencia, son los padres los que han de apagarlo para sus hijos. En tercer lugar, la velocidad de las imágenes y la visualización electrónica hacen que no puedan despegar los ojos de la televisión.

¿Cómo afectan los medios electrónicos al desarrollo de los sentidos y del cerebro de los niños?

El cerebro de un niño se desarrolla desde la acción básica y esencial, o cerebro de reptil, pasando por el cerebro límbico del antiguo mamífero, o cerebro sensible, hasta el cerebro del pensamiento, o neocorteza. Éstas son «ventanas» sensibles en el desarrollo del cerebro, durante el cual el estímulo, por ejemplo una conversación con los padres, tiene que estar presente para que se desarrolle la capacidad del habla y del lenguaje. Los cerebros jóvenes son también muy elásticos y tienen el potencial para hacer un amplio número de conexiones dendríticas. Este potencial disminuye a la edad de 10-11 años, de tal modo que los adultos tienen que esforzarse mucho más para hacer nuevas conexiones.

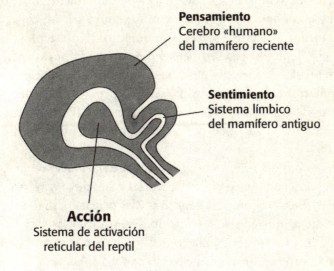

Figura 1. Fuente: Pearce, Joseph Chilton; *Evolution's End: Claiming the Potential of Our Intelligence*, Harper Collins: San Francisco, 1992.

El cerebro de la *acción* procesa impresiones sensoriales, controla movimientos, domina funciones corporales, gobierna reflejos y ayuda a la supervivencia física. El cerebro límbico o *sensible* responde con «lucha o huida» a las amenazas; de ahí que los humanos reaccionemos física y emocionalmente antes de que nos dé tiempo a pensar en una crisis.[13]

El cerebro límbico envuelve al de la acción (véase fig. 1) y procesa información emocional como las preferencias y las aversiones. Da sentido a nuestras experiencias y a nuestra conducta de aprendizaje y de influencia, así como a nuestras relaciones íntimas. Nos permite soñar, fantasear y experimentar intuiciones y sentimientos estimulados por la neocorteza o cerebro *pensante*. El cerebro sensible es un puente entre el cerebro del pensamiento y el de la acción; de este modo, en caso de emergencia, el cerebro de la acción asume las funciones superiores. Un rasgo de los cerebros de la acción y de los sentimientos es que son incapaces de distinguir entre una impresión sensorial real y una imaginada; de ahí que primero reaccionen y luego piensen.

La neocorteza o cerebro del pensamiento tarda un tiempo en desarrollarse: su tamaño es cinco veces superior al de los otros dos cerebros juntos. Sus tareas son el pensamiento, el intelecto, la creatividad y el cálculo. El cerebro pensante recibe el impulso sensorial de los cerebros de la acción y de los sentimientos, pero necesita tiempo para procesar la información. El cerebro pensante es el vehículo de nuestras experiencias, percepciones, recuerdos, sentimientos y pensamientos, de modo que podamos formarnos ideas y emprender acciones.

El cerebro del niño es progresivamente *mielinado* en un proceso que empieza con el cerebro de la acción y concluye con la neocorteza. La *mielinación* cubre las dendritas y las neuritas con una capa protectora de ácidos grasos. Cuanto más se utilicen las vías nerviosas, más mielinadas estarán. Cuanto más gruesa sea la capa, más rápidamente recorrerá el impulso nervioso esas vías. Así pues, las vías sensoriales motrices y los sentidos de los niños necesitan estimulación para que se produzca la mielinación, por ejemplo, a través de juegos y movimientos rítmicos.

Los sentidos necesitan ser estimulados y alimentados, pero también requieren protección de una estimulación excesiva o inapropiada, pues los niños pequeños son como esponjas (véase capítulo 3). Lleva su tiempo desarrollar la capacidad para filtrar las experiencias sensoriales desagradables, por lo que los niños son receptivos a lo que oyen, ven, tocan, huelen y prueban. Considere, pues, hasta qué punto los medios electrónicos estimulan excesivamente los delicados sentidos de los niños, y cómo el fenómeno televisión/cerebro actúa incluso con más fuerza en los niños que en los adultos.

El sistema de activación reticular (o RAS) del cerebro inferior se desarrolla con los sentidos. El RAS es el foco y la puerta de entrada de las diferentes impresiones sensoriales, de modo que éstas queden coordinadas y puedan entonces ser procesadas por el cerebro del pensamiento. El RAS nos capacita para prestar atención y para adquirir conciencia, de manera que si las vías sensoriales motrices están escasamente desarrolladas, eso puede provocar que los niños sólo presten atención durante poco tiempo y tengan dificultades para concentrarse. La estimulación excesiva o insuficiente de los sentidos, junto con unas habilidades motrices —«toscas» y de precisión— subdesarrolladas pueden provocar escasa atención.

Los cerebros de la acción y del pensamiento están mielinados al 80 % a la edad de 4 años. Luego, a los 6-7 años, el desarrollo cerebral continúa en el cerebro del pensamiento, la neocorteza; entonces la mielinación empieza en el hemisferio derecho y después en el izquierdo. La parte derecha ayuda a procesar imágenes, formas y dibujos, y ve el cuadro general más que los detalles. Es más intuitiva y participa activamente en el arte, la música y el color. Como el cerebro derecho responde al color y a la novedad, se vuelve dominante cuando vemos la televisión.

El cerebro izquierdo impera cuando un niño piensa, lee, escribe y habla. Contribuye al análisis, al pensamiento secuencial y a la lógica «paso a paso»; más tarde desarrolla el pensamiento abstracto necesario para la ciencia. Cuando se aprende a leer, el cerebro izquierdo ayuda a asociar las letras del alfabeto con los sonidos y el significado.

Cuando los niños se desarrollan, los dos hemisferios forman interconexiones a través del cuerpo calloso. Éste es un gran haz de vías nerviosas que actúan como un puente, ayudando a la coordinación de la parte derecha e izquierda del cuerpo. La mielinación del cuerpo calloso es secundada por el desarrollo de las habilidades motrices «toscas»; de este modo, correr, hacer ejercicio, jugar con canciones, saltar, etc. contribuyen a aquélla. Las habilidades motrices de precisión —manualidades, cocinar, hacer punto, dibujar y pintar— también son importantes para la mielinación. Tales actividades facilitan el desarrollo de la flexibilidad, la creatividad, jugar con ideas, la imaginación y la interacción del pensamiento intuitivo y el analítico. El desarrollo deteriorado del cuerpo calloso podría afectar a la interacción saludable de los dos hemisferios y, por lo tanto, podría causar dificultades de aprendizaje.[14]

Recuadro 5

Los videojuegos atrofian el cerebro de los adolescentes

Los videojuegos están creando una generación entontecida de niños mucho más propensos a la violencia que sus padres, según un controvertido estudio reciente. La tendencia a perder el control no se debe a que los niños absorban la agresión que implica el propio videojuego, como sugerían antes los investigadores, sino más bien al daño causado por la atrofia de la mente en desarrollo.

Utilizando la más sofisticada tecnología disponible, se midió el nivel de actividad cerebral en cientos de adolescentes jugando con Nintendo y se comparó con los exámenes cerebrales de otros estudiantes mientras hacían un ejercicio aritmético simple y repetitivo. Para sorpresa del experto en trazar mapas del cerebro, el catedrático Ryuta Kawashima, y su equipo de la universidad de Tohoku, en Japón, se halló que el videojuego sólo estimulaba la actividad de las áreas cerebrales relacionadas con la visión y el movimiento.

La aritmética, en cambio, estimulaba la actividad cerebral del hemisferio izquierdo y derecho del lóbulo frontal, la parte del cerebro más vinculada al aprendizaje, la memoria y la emotividad.

Nuestra mayor preocupación era que el lóbulo frontal, que en los humanos continúa desarrollándose hasta aproximadamente los 20 años, también desempeña un papel importante en mantener a raya la conducta del individuo...

Los estudiantes que jugaban con videojuegos detenían el proceso del desarrollo cerebral y esto afectaba a su habilidad para controlar elementos potencialmente antisociales de su conducta.

«La importancia de este descubrimiento no puede ser subestimada», dijo Kawashima al *Observer*.

Tracy McVeigh, *Observer* (Londres)
19 de agosto de 2001

En origen, Kawashima esperaba que esa investigación fuera ventajosa para los fabricantes de videojuegos, que financiaron su trabajo, y para los padres necesitados de noticias tranquilizadoras acerca de los beneficios que sus hijos obtenían de los videojuegos. Sin embargo, llegó a la conclusión de que la aritmética, leer, jugar en la calle con otros niños y la conversación son mejores para el desarrollo y la creatividad infantil que jugar con videojuegos.

Resumiendo: los niños mielinizan sus vías neurales utilizando el cerebro. Una rica «dieta» sensorial y el sano movimiento ayudan a la formación de conexiones neurales flexibles y fuertes: cuantas más conexiones, mejor. Cuando un niño que da sus primeros pasos juega por ejemplo con la comida, puede saborearla, olerla y revolverla y, luego, tirar el plato al suelo para provocar reacciones e iniciar una conversación. Durante todo ese rato se están formando conexiones neurales y dendríticas, de modo que cuando los niños juegan (por ejemplo, con una pelota o con ladrillos), activan millones de neuronas interconectivas. El movimiento saludable, la repetición, el juego, la conversación y la estimulación multisensorial son esenciales para el desarrollo del cerebro.

¿Cómo afectan los medios electrónicos a los sentidos y al cerebro de los niños pequeños?

En el proceso del descubrimiento del mundo, los niños pequeños se enfrentan al problema de «sentir» si las imágenes de la televisión y del ordenador son «reales» o no. ¿Hay efectivamente un señor dentro de la caja? ¿En qué medida es la realidad virtual del mundo de la pantalla diferente del mundo real que puede ser tocado, probado y olido? Los informes sobre las respuestas de algunas tribus a las películas —muy preocupadas por saber a dónde se irá el actor una vez abandonada la pantalla— demuestran la inicial confusión que puede producir la tecnología. Imagínese entonces lo desconcertante que puede ser la televisión para los niños que empiezan a percibir las diferencias y la variedad de la experiencia sensorial. Mi hijo de 3 años me preguntó una vez: «¿Hay de verdad una orquesta dentro de la tele?». Y también: «¿Ese hombre se ha muerto de verdad?».

La televisión es un medio engañoso como para exponer a ella a los niños que están aprendiendo a abrirse camino en el mundo cotidiano. Considere el contraste que hay entre los títeres y un espectáculo producido para la pantalla de la televisión. La representación en vivo deja a los niños embelesados: pueden ver los títeres, acceder al mundo del «como si» de la historieta y quedar completamente inmersos en él. La televisión, en cambio, proyecta un enorme número de imágenes, personas y sucesos que son reproducciones de segunda mano de cosas que tienen lugar en la distancia. Es más, muchos de los recursos empleados en la pantalla —los trucos técnicos, las piruetas de los dibujos animados, todos los elementos artificiales e insólitos que se utilizan para atraer al espectador— no pueden tener lugar en la vida real. De este modo, los niños se enfrentan a un «mundo real» al que tienen que acostumbrarse mediante el desarrollo normal de los sentidos, y a un mundo electrónico en el que ocurren sucesos que en la vida cotidiana son desconocidos y, a menudo, «imposibles».

Una madre describe un incidente con su hijastra de 5 años, a la que considera teleadicta:

«Hace unos seis meses echó a correr hacia la carretera y fue atropellada por un coche. Afortunadamente, aparte del susto, sólo le salieron unos cardenales. A las pocas horas del accidente me preguntó qué había pasado y se lo expliqué diciéndole que había tenido mucha suerte. Le pregunté: "¿Qué habría pasado si hubieras caído bajo las ruedas?", y me contestó: "Me habría puesto de pie de un salto como la Pantera Rosa".»

Un padre que llevó a su hijo pequeño al zoo se quedó tan preocupado por comentarios del tipo «Ya he visto todo esto en la televisión», que se deshizo del televisor. La realidad, concluyó, no puede competir con un aparato que muestra primeros planos de tigres, leones y rinocerontes, escenas que en la vida ordinaria jamás aparecen en una sucesión tan rápida. Asimismo, le pareció que la televisión estaba embotando el sentido del asombro de su hijo.

Los medios electrónicos y la vista

Los medios electrónicos también afectan a nuestro sentido de la vista. El ojo responde, por un lado, al color, a la luz y a la oscuridad y, por otro lado, al movimiento. De hecho, el movimiento y el equilibrio —otros dos sentidos distintos (véase el capítulo 5)— están íntimamente conectados con el ojo. Nuestros ojos están en continuo movimiento, calculando la distancia, la altura y la profundidad, que son elementos esenciales de la perspectiva. Los ojos fijan permanentemente objetos a su visión, acomodando y cambiando el enfoque. Lleva su tiempo aprender a percibir los objetos: por ejemplo, un niño de 2 años sólo reconoce de nuevo un triángulo que ha sido girado 120° si él a su vez gira la cabeza; de ahí que la exploración visual sea un requisito previo de la visión. De hecho, la agudeza visual y la completa visión binocular o en tres dimensiones de los niños no se desarrollan del todo hasta la edad de 4 años.

Los investigadores demuestran cada día más los efectos nocivos de la cultura de la pantalla en la vista de los niños. En un reciente reportaje especial, el periodista Tim Utton, citando a Adrian Knowles, de la sociedad benéfica Eyecare Trust, escribe lo siguiente: «Los expertos creen que la vida moderna —particularmente el tiempo que pasamos delante de la pantalla de la televisión y del ordenador— está dañando la visión de un creciente número de jóvenes», y aconseja que «todos los niños deberían hacerse un examen ocular antes de cumplir tres años, y todos deberíamos mirarnos la vista cada dos años».[15]

¿Cómo afecta la televisión al desarrollo del sentido de la vista de los bebés y de los que dan sus primeros pasos? El mundo perceptivo no es un producto acabado (el mismo para todos nosotros), sino que está configurado con arreglo a la edad de cada persona. Las experiencias infantiles tienen lugar en un mundo intenso en el que las cosas son atractivas y repulsivas antes de que adquieran cualidades abstractas como lo cuadrado o lo negro. El psicólogo Jean Piaget mostró cómo las ilusiones ópticas disminuyen con la edad y cómo se desarrolla la percepción del espacio en los niños. Durante los primeros meses, los objetos no «existen» si no están moviéndose o haciendo algo. Coger o manipular un objeto es lo que le proporciona realidad, y cuando desaparece se ha ido definitivamente. El espacio, como el que está al alcance de la boca o de la mano, está relacionado con la actividad.

A los 8 o 10 meses, el objeto se ve como algo más independiente. Piaget ofrecía un reloj a un niño de 9 meses, que luego se ponía a jugar con él. Cuando lo escondía debajo de la almohada, el bebé lo encontraba. Aunque el niño vio que la segunda vez escondía el reloj en otra parte, él siguió buscándolo en el primer escondite.

Con unos 16 meses, el pequeño que da sus primeros pasos percibe el objeto como algo que existe independientemente de él. El espacio se convierte en un campo en el que pasan cosas, en algo opuesto a lo estrechamente vinculado con la actividad. Quizá el juego del «¡cucú, no estoy!» sea la manera en que los bebés y los niños pequeños se acostumbran a ver aparecer y desaparecer a los seres queridos, sabiendo que de todos modos «siguen ahí». El sentido de la vista continúa desarrollándose, pues hasta los 11-12 meses no surge el sentido de la perspectiva. Por eso, desde el punto de vista del desarrollo perceptivo, la televisión puede dañar seriamente la adquisición de conceptos como el espacio por parte del niño. Es más, la pantalla bidimensional inhibe el desarrollo del sentido de la profundidad y la perspectiva.

En los adultos la percepción depende de toda clase de movimientos exploradores del ojo, desde los conscientemente dirigidos hasta los pequeños e involuntarios, cuando el ojo parece estar fijo en un objeto inmóvil. Resulta interesante que, dentro del contexto de los efectos de la televisión en el ojo, cuando esos movimientos exploradores se suprimen artificialmente, la imagen se divide en fragmentos. Como observaba un psicólogo, «necesitamos palpar el campo visual con nuestra mirada». El movimiento constante del ojo es un requisito para tener la vista sana. La falta de movimiento ocular puede ser un síntoma de envejecimiento; los oftalmólogos pueden prescribir a la gente mayor unos ejercicios que los ayuden a mantener unos ojos «jóvenes».

Para enfocar necesitamos atención consciente, vigilancia y concentración; dicho brevemente, tenemos que forzarnos en cooperar con las facultades que nos proporciona ese sentido.

La atención es necesaria para una buena observación y focalización. La atención es una condición opuesta al estado confuso, aturdido y atolondrado al que denominamos «distracción». Esa clase de atención requiere esfuerzo.

Ver la televisión es una actividad visualmente pasiva. La cabeza permanece quieta, los ojos están prácticamente inmóviles; no se mueven continuamente para «clavar la vista» en objetos, como lo hacen cuando miran normalmente. Están ligeramente «desenfocados» para así abarcar la pantalla entera. El acento recae en la visión periférica más que en la visión central, que es activa en el estado de atención descrito con anterioridad. Otro efecto es que mientras ve uno la televisión, los músculos oculares no se ejercitan y la atención disminuye por el necesario desenfoque de los ojos. Para ver la televisión no se usa mucho el movimiento de acomodación de la vista, que se mantiene a un nivel constante para compensar la naturaleza del CRT, que es un medio ligeramente borroso y de escasa definición. (Compare las imágenes electrónicas con las imágenes más nítidas de las películas del cine, por ejemplo.) Algunos oftalmólogos recomiendan ver la televisión a los pacientes en el período posoperatorio para que mantengan los ojos inmóviles.

Para leer hacen falta buenas aptitudes visuales. Leer requiere unos músculos oculares desarrollados que posibiliten el movimiento *sacádico* de los ojos, cuando éstos enfocan grupos de palabras o saltan de un renglón a otro. Leer también requiere mucho más enfoque y atención que ver la televisión. Mientras miran a la pantalla de la televisión, los ojos de los niños tienden a no parpadear, a dilatarse, y presentan poco movimiento ocular. La dilatación y la contracción de la pupila están integradas en el sistema de activación reticular (RAS). El RAS ayuda a encauzar aquello a lo que se está atendiendo, y está relacionado con la capacidad de los niños para enfocar y concentrarse; si está escasamente integrado con la neocorteza o cerebro pensante, se verán afectados tanto la lectura como el pensamiento.

¿Cómo puede saber si su integración cerebral está dañada? Lo que notará si ha estado trabajando ante una pantalla durante un rato es un número creciente de faltas de ortografía, o que se va al final del renglón y pierde el hilo del argumento, o también fatiga. Charles Krebs, científico y quiropráctico, cree que las personas tienen diferentes niveles de integración cerebral, pero que incluso los dotados de una integración cerebral excelente pueden desorientarse si pasan mucho tiempo expuestos a la pantalla:

«Las personas con escasa integración cerebral y problemas de aprendizaje son las más susceptibles... A menudo, los niños se sientan delante del televisor antes de ir al colegio. Luego, en el colegio están todo el día sentados bajo luces fluorescentes (otro factor que puede causar falta de integración), y al volver a casa, se vuelven a sentar frente a la televisión. *Estos niños se hallan en un estado permanente de desintegración cerebral generada por el ambiente».*[16]

Krebs cuenta también la historia de un profesor de Nueva Zelanda que pidió a su clase de niños de 7 años que firmara un contrato de una semana de duración para no ver la televisión. El resultado, de acuerdo con el profesor y con los niños, es que se sintieron capaces de trabajar mejor.

Por último, un rasgo clave de los sentidos y del cerebro inferior es que el estímulo visual se impone al estímulo auditivo o sonido. Instintivamente, nos fiamos más de la vista. «Ver es creer»; sin embargo, no se puede decir «oír es creer». Un ejemplo: A un grupo de niños de 6-7 años se les mostró un vídeo en el que la banda sonora no encajaba con las imágenes ni con la acción. Cuando se les preguntó, los niños no se habían dado cuenta de esa falta de armonía: habían prestado atención a las imágenes, no a los sonidos.[17]

Recuadro 6

La vista de los niños en peligro: los ordenadores «pueden causar daños permanentes»

Millones de niños que usan regularmente el ordenador pueden padecer daños permanentes en sus ojos, según se desprende de un reciente y controvertido estudio. Los investigadores dicen que casi uno de cada tres niños podrían desarrollar miopía, a no ser que usen unas gafas de prescripción facultativa.

Añaden que mucha gente, cuando examina un texto en la pantalla, puede enfocar por error ligeramente fuera de las palabras. Entonces los músculos oculares tienen que esforzarse mucho para reenfocar rápidamente.

La tensión del esfuerzo puede provocar dolores de cabeza; también se sospecha que pueda causar daños permanentes. Por primera vez, unos científicos de la American Optometric Association han hallado un vínculo significativo entre el tiempo que pasan los niños frente al ordenador y el alcance de su mal enfoque. Han concluido que mirar una pantalla pone a los niños en peligro de volverse miopes.

El investigador Cary Hezberg declaró a la revista *New Scientist* que los niños que utilizan ordenadores deberían someterse a una prueba para ver si necesitan unas gafas especiales. El señor Herzberg, optometrista de Aurora, Illinois, dijo lo siguiente: «Como los niños pasan más tiempo delante del ordenador y haciendo tareas que exigen ver de cerca, su riesgo de desarrollar una miopía va en aumento. Sin duda, ahora estamos viendo más niños con ese tipo de problema que hace cinco años».

Michael Leventhal, editor científico,
Daily Express, 12 de abril de 2002

Los niños ya no parece que escuchen

Los profesores de preescolar dicen que cada vez se ven más obligados a enseñar a los niños a que escuchen. Aunque a la mayor parte de los niños les encantan las historias, su período de atención se acorta, y a una minoría le resulta difícil escuchar en general. Sin embargo, en cuanto esos niños empiezan a elaborar sus propias «imágenes» gestuales interiores de la historia, entonces sí están capacitados para escuchar. No sorprende, pues, que los profesores comenten que hoy en día hace falta ser mucho mejor narrador de historias para captar la atención de los niños.

Una de las causas puede ser que el ruido de fondo de la radio, el vídeo o la televisión prevalece tanto en las casas, que el sentido del oído se está embotando. Dado que la televisión es más visual que auditiva, y a no ser que los adultos conversen con sus hijos y les cuenten historias, el sentido del oído de los niños no se ejercita por completo. Según una investigación, hace 25 años una persona era capaz de distinguir entre un promedio de 300.000 sonidos; hoy esa cifra es de 180.000, lo que refleja una creciente y pronunciada atenuación de la sensibilidad cerebral.

La doctora Sally Ward, terapeuta del habla y del lenguaje, estaba asustada por la cantidad de niños que acudían a su clínica con problemas de retraso en el lenguaje, y comentaba que «los niños ya no parece que escuchen»; en consecuencia, dirigió una amplia investigación durante diez años sobre lo que estaba pasando en las casas. El estudio realizado con mil niños de Manchester halló que nada menos que *uno de cada cinco niños de preescolar tenía problemas de escuchar y de atención* que retrasaban su desarrollo del lenguaje. Esa frecuencia se duplicaba entre 1984 y 1990, coincidiendo con el uso generalizado de la televisión durante el desayuno y de día. «En el caso de los más severamente afectados se sospechaba que estaban completamente sordos. Pero no están sordos, sino "desconectados"; no han sido capaces de desarrollar la habilidad para escuchar selectivamente.»[18]

A Ward le parecía que sus hallazgos eran francamente aterradores cuando observó cómo la televisión había llegado a dominar las relaciones entre padres e hijos:

«Es un cambio radical en la cultura. La gente no interactúa con sus hijos como en el pasado. Antes tenían sofás colocados de modo que se pudiera entablar una conversación. Ahora los ponen en fila orientados hacia el televisor, y los niños se limitan a ver la televisión en una habitación en penumbra».[19]

Muchos padres dejan la televisión puesta todo el rato, para que les haga «compañía» y para mantener a los niños ocupados. Durante los primeros cruciales meses, los bebés suelen ser incapaces de oír a sus padres hablando por encima del ruido. Además, eso ocurre en la crítica etapa en que los bebés necesitan un contacto cara a cara con sus padres para distinguir entre los importantes sonidos de su conversación y el ruido de fondo carente de sentido. Ward dice lo siguiente:

«Los niños atienden excesivamente al ruido de la televisión y del equipo estereofónico e ignoran el sonido de las voces humanas. En consecuencia, se retrasa el aprendizaje del habla y surgen otros problemas sociales y educativos. En algunas casas que visité, el ruido constante procedía de más de una fuente: dos televisores o un televisor y un estéreo. Los adultos pueden abstraerse del ruido de fondo no deseado, pero los niños pequeños no tienen esa habilidad. Los bebés necesitan que haya mucha diferencia entre el ruido de fondo y el de alguien que esté hablando».

A los ocho meses, pues, muchos de los bebés del estudio no reconocían sus propios nombres ni palabras tan básicas como «zumo» o «ladrillos». Este fenómeno no se limita al centro de la ciudad de Manchester, donde se llevó a cabo la investigación original, sino que Ward encuentra cada vez más padres de clase media que permiten que los medios electrónicos se apoderen de sus casas:

«La televisión está siendo usada como un canguro. Algunos de estos niños de clase media pasan demasiado tiempo viendo la televisión y los vídeos. No despegan la vista de los colores, las luces y los destellos. Se quedan fascinados por la pantalla. En nuestro estudio hallamos que es bastante difícil hacer que se interesen por los juguetes».[20]

Algunos niños manejan un lenguaje muy pobre a los dos años. «He visto niños de dos años y medio que prácticamente no poseían la capacidad para entender palabras». A veces ni siquiera saben hablar, sólo hacer ruidos guturales, lo que Ward atribuye a una excesiva y temprana exposición a la televisión. Igualmente mermada está la facultad de los niños para escuchar, para aprender, para participar en una conversación, para leer las expresiones faciales y para saber cuándo la otra persona ha terminado de hablar. Ward, por ejemplo, describe a una víctima de la temprana exposición a la televisión: «Entra en la habitación y pasa por delante de ti sin hacerte caso. Si le pones en el suelo un cajón de juguetes, tampoco le hace caso, sino que deambula sin rumbo fijo, sin mirar a nada ni a nadie».[21]

El sentido de la observación tampoco se desarrolla viendo la televisión; de ahí la necesidad de ayudar a los niños a que vean flores, animales y pájaros. Muchos profesores de parvulario y de preescolar a los que conozco han observado una «renuncia» a los sentidos en niños que ven moderadamente o mucho la televisión. Por eso tienen que impartir una enseñanza terapéutica para ayudarlos a cultivar la capacidad de «ver un mundo en un grano de arena».

Movimiento y equilibrio

Algunos profesores mayores pueden todavía distinguir en una clase entre los que ven y los que no ven la televisión, por sus posturas, sus movimientos, el control de sus extremidades y por la manera de sentarse. Audrey McAllen, asesora especializada en educación, escribió lo siguiente acerca del movimiento y la televisión:

«Tras muchos años de trabajar con niños que tienen dificultades de aprendizaje, me doy cuenta de lo descoordinado que está el niño de hoy en día en cuanto a la interacción de las manos y las piernas. Por más que levanten las piernas para lanzar una pelota, la mano choca contra el muslo. Asimismo, la pierna izquierda parece más pesada que la derecha, y les cuesta más levantarla. En las clases que han sido examinadas para averiguar problemas de aprendizaje se ha visto que este síntoma de pesadez de las extremidades está ahora generalizado entre los niños».[22]

Usted mismo puede comprobar esa «pesadez de piernas» después de estar un rato viendo la televisión. Quizá por eso haya tantos tipos populares de cursos de movimiento, como el tai chi o el yoga: para contrarrestar los efectos del trabajo de ordenador y de nuestro estilo de vida sedentario.

De acuerdo con Aeppli,[21] el sentido humano del movimiento trabaja con suma precisión, percibiendo los más delicados movimientos que tienen lugar en nuestro cuerpo. Es más, cada movimiento que hacemos con el cuerpo es una expresión de la voluntad. El sentido del movimiento nos proporciona la sensación de tener una razón para estar en un lugar determinado, un sentido de la resolución que se desarrolla a partir de la voluntad de ir de un sitio a otro. El sentido del movimiento también nos capacita, a través de los músculos, para percibir si estamos quietos o moviéndonos, y para saber dónde está localizado nuestro cuerpo en el espacio. Los niños pequeños imitan sutilmente los movimientos de su entorno, haciéndose eco por ejemplo de los movimientos electrónicos. Tanto aprender a andar como desarrollar la destreza y la coordinación está relacionado con el sentido del movimiento.

De ahí que no sea sorprendente que limitar el movimiento por el uso sedentario de la televisión y el ordenador tenga profundos efectos perjudiciales. Considere, por ejemplo, la hiperactividad, el así llamado «trastorno de falta de atención» y esas formas de dislexia en las que las letras suben y bajan dentro del campo visual. El doctor Harry Levinson trata determinadas formas de dislexia e hiperactividad con píldoras para no marearse en los viajes. Él cree que esos niños padecen una especie de «enfermedad del movimiento». Cierta aptitud infantil para leer mejora notablemente después de tomar esos comprimidos, ya que queda estabilizado el sentido del movimiento alterado.[24]

Allan Hall, un físico investigador de campos electromagnéticos, observó los efectos de los campos electrónicos de bajo nivel y rápida oscilación que proceden del ordenador y de la televisión. «Cuando uno se acerca de 30 a 45 cm, nota que los músculos se le tensan ligeramente y, al cabo de un rato, una sensación de "electroestrés".» Por consiguiente, aprovechando la propia experiencia directa, sugiere considerar cómo esas sutiles oscilaciones pueden afectar al equilibrio y al movimiento de los niños pequeños.[25]

El equilibrio también se ve afectado por ver la televisión. ¡Cuántas veces dicen los adultos que quieren encontrar un equilibrio en sus vidas! El equilibrio está centrado en el oído interno y percibe la atracción de la tierra dándonos el sentido de la verticalidad. Nos proporciona un punto de referencia corpóreo, una sensación de tranquilidad interior y una seguridad en el espacio. En este contexto, piense en el vertiginoso ritmo de la vida moderna[26] y en cómo puede desequilibrarnos...

La adquisición de equilibrio es un logro esencial en los niños, como también lo es el que sepan estar de pie y derechos, pues eso les proporciona libertad para empezar a moverse por el mundo como seres independientes. Cheryl Sanders hace hincapié en que los trastornos del equilibrio, resultantes de actividades como ver la televisión, pueden tener efectos devastadores en los pequeños:

«La pérdida del equilibrio causa cierta sensación de malestar en el estómago, un vértigo que puede hacernos dar diez o doce vueltas antes de intentar andar derechos. Imagine que esa sensación estuviera presente cada vez que quisiera leer o escribir. ¿Qué pasaría si esa sensación fuera más sutil, de modo que el niño no pudiera averiguar qué es, pero supiera que se encuentra fatal en algunas clases del colegio, pero no en otras como arte o música? ¿Y qué ocurriría si la falta de coordinación se extendiera a cualquier intento de participar en juegos, o incluso al intentar correr por el patio sin ser el hazmerreír?».[27]

En resumidas cuentas...

1. La televisión, el vídeo, Internet y los videojuegos seguirán existiendo en el futuro. Los medios electrónicos ofrecen entretenimiento, comunicación, educación e información, así como herramientas útiles de trabajo. Sin embargo, dado que el tubo de rayos catódicos es una máquina tan útil y poderosa, con una serie de efectos secundarios negativos reconocidos y combatidos en los lugares de trabajo, la pregunta que se plantea es si el CRT es apropiado para niños menores de 7 años.

2. El CRT utilizado por los medios electrónicos es una máquina potente que sobrecarga y «desconecta» el cerebro. Eso puede dañar el cerebro de los niños pequeños, que es sensible y está hecho para aprender de la vida real y de las personas.

3. El CRT ha sido relacionado con muchos tipos de dificultades de aprendizaje, como «trastornos» de la atención, hiperactividad, mala memoria, falta de concentración, necesidad de gratificación instantánea, breves períodos de atención, conducta impulsiva, dificultades de movimiento y poca capacidad par escuchar y para hablar.

4. El contenido y la programación de los medios están orientados a atrapar la atención de los niños de modo que les resulte difícil apartarse de ellos. De ahí que los niños necesiten la ayuda de los padres para apagarlos.

5. Riesgos físicos II

La luz y las lesiones de movilidad

En este capítulo se investigan otras dos fuentes de peligros físicos para la salud: los efectos de la luz de la televisión y las diversas lesiones de movilidad (por ejemplo, los daños causados por esfuerzos repetitivos y las lesiones musculoesqueléticas) provocadas por el uso del ordenador.

La luz de la televisión y la salud

La luz nos afecta tan profundamente, que los investigadores han estudiado cómo influye en la salud. En los países nórdicos, por ejemplo, donde la gente es propensa al trastorno afectivo estacional o SAD, se han desarrollado sistemas de iluminación artificial de espectro natural para contrarrestar que las personas padezcan depresión invernal. ¿Y cómo afecta la luz del CRT a los bebés y a los niños?

Los niños son sumamente sensibles a la luz; son como órganos sensoriales que palpan, saborean y sienten el mundo con todo su ser (véase capítulo 3). Un pequeño que da sus primeros pasos se estremece de alegría al ver un objeto de su predilección; un bebé prueba lo caliente y buena que está la leche «por todo su cuerpo», o bien responde a un sonido con todo su organismo. Una de las primeras experiencias que tienen los bebés es la luz, y la de ser acariciados por todo el cuerpo a la luz.

Del mismo modo que la comida alimenta al metabolismo y el aire nutre de oxígeno a los pulmones, así la luz alimenta a las personas. Los bebés necesitan luz, en especial la luz del día, un «alimento» que los ayuda a crecer. Los efectos «nutritivos» de la luz se descubrieron al observar que los bebés con ictericia se recuperaban mucho más rápidamente cerca de la ventana que en partes más oscuras del dormitorio. Ahora la luz está considerada como una terapia de éxito para tratar la ictericia de los recién nacidos. La luz —tanto la del día como la luz azul o la blanca de amplio espectro a un nivel razonable— reduce efectivamente los niveles de bilirrubina que estén descompensados.

El raquitismo infantil está provocado por falta de vitamina D, que se produce en la piel del cuerpo con la ayuda de la luz del día. Éste solía ser un problema de cierta envergadura en las zonas industriales, donde la contaminación del aire hacía de pantalla de un elevado porcentaje de la luz natural. A los niños se les puede curar sacándolos a la calle y exponiéndolos a la luz.

De ahí que sea de gran importancia cuidar del «entorno luminoso» de los bebés. El doctor Frederic Leboyer, por ejemplo, recomienda que se reduzca la intensidad de la luz durante el nacimiento del niño y que a los recién nacidos se les proteja de la luz intensa. Durante las primeras semanas de vida, los bebés deberían dormir en habitaciones oscuras y, luego, ser expuestos poco a poco a la luz del día y a la luz artificial. Esto les daría a los delicados y sensibles ojos de los bebés la oportunidad de ir acostumbrándose a la luz.

Leboyer subraya «la agudeza y el vigor» de los sentidos de los recién nacidos, y lo intensamente que perciben el mundo. Estas percepciones infantiles hacen que, en comparación, palidezcan los sentidos de los adultos. Leboyer escribe lo siguiente:

«El bebé siente el mismo amor y tiene la misma sed de luz que las plantas y las flores. Al bebé le apasiona la luz. Tanto le gusta que debemos ofrecérsela lentamente, tomando todas las precuaciones necesarias. De hecho, los bebés son tan sensibles a la luz que la perciben ya desde el útero materno. Si una madre embarazada de más de seis meses está desnuda a la luz del sol, el bebé que lleva dentro ve como una neblina dorada. Y luego esa criaturita tan sensible a la luz de repente es expulsada de su oscura guarida y sus ojos se exponen a la luz de los focos. No es, pues, sorprendente que llore... Si nuestra intención fuera volverle loco de dolor, no podríamos hacerlo mejor. El pobre bebé cierra los ojos apretándolos con fuerza. Pero ¿de qué le sirve la frágil y transparente barrera de sus párpados? La verdad es que el recién nacido no está ciego, sino cegado».[1]

El doctor John Ott, investigador de la luz, se preguntaba si la excesiva absorción de luz artificial podía afectar físicamente a las personas. Fue la obra de Ott la que influyó en la substancial reducción de la cantidad de rayos X emitidos por los televisores.[2]

La luz de la televisión la proyectan en nuestros ojos unos propulsores de rayos catódicos —que hay detrás de la pantalla— accionados por 25.000 kilovoltios en los televisores en color y por 18.000 en los aparatos en blanco y negro. Estos propulsores disparan corrientes de electrones a los puntos fosforescentes de la pantalla, los cuales emiten sucesivamente luz a los ojos de los televidentes. Esta luz dirigida se proyecta *dentro* de los ojos; no es que el televidente mire *hacia* la pantalla iluminada.

Esa luz tiene efectos físicos concretos en el organismo. La retina registra los estímulos luminosos y, por una parte, los traduce a imágenes que son llevadas al cerebro. Al mismo tiempo, los rayos de luz, a través de las vías neuroquímicas, penetran en las glándulas pineal y pituitaria y, luego, en los sistemas endocrinos. De este modo, la luz «alimenta» bioquímicamente el organismo. Esto se puede comparar con una planta que extrae la energía directamente de la luz por medio de la fotosíntesis. Los bebés sólo se acostumbran gradualmente al ciclo del día y de la noche, al que va ajustándose su ritmo de sueño y vigilia.

El cambio de una «dieta» de luz natural a otra de luz predominantemente artificial da por resultado una «maliluminación». Tomamos «sobredosis» de luz incandescente, fluorescente y de la televisión, mientras que «pasamos hambre» de luz natural.

La «maliluminación» puede desembocar en quejas como una reducción de la vitalidad, una menor resistencia a las enfermedades e hiperactividad. También puede contribuir a una conducta agresiva, a enfermedades del corazón y al cáncer.[3]

Ott se interesó por los efectos de la radiación y la luz de la televisión a base de leer artículos sobre por qué se cansan los niños.[4] Dos médicos de las fuerzas aéreas habían encontrado que los síntomas comunes del dolor de cabeza, nerviosismo, mal sueño, vómitos y fatiga general entre un grupo de 30 niños estaban relacionados con que veían la televisión de tres a seis horas los días de diario y de seis a diez horas los fines de semana.

Los médicos sugirieron que los niños dejaran de ver la televisión, y en 12 casos en que se siguió su consejo, los síntomas desaparecieron en el plazo de tres semanas. En 18 casos se limitó el tiempo de ver la televisión a dos horas diarias, y los síntomas fueron desapareciendo en cinco o seis semanas. En los 11 casos en que se suavizaron las reglas tras el período inicial, los niños empezaron a ver la televisión tanto como antes y los síntomas anteriores reaparecieron.[5]

Para comprobar la hipótesis de que esos síntomas los provocaba la radiación televisiva, Ott colocó seis tiestos —cada uno de los cuales contenía tres semillas de alubias— enfrente de una pantalla de televisión en color medio cubierta con papel fotográfico negro, que no dejaba pasar nada de luz. Puso otros seis tiestos enfrente de la otra mitad de la pantalla, que estaba revestida de plomo, y colocó un grupo de control de seis macetas a 1,5 metros de distancia.

Al cabo de tres semanas, las alubias que estaban junto al lado del televisor revestido de plomo y las que estaban fuera presentaron un crecimiento normal de 15 cm. Las alubias sometidas a radiación mostraban un crecimiento excesivo similar al de la parra que alcanzaba los 80 cm. Es más, todas las hojas presentaban un tamaño de 2,5 a 3 veces superior al de las plantas del exterior y a las protegidas por el revestimiento de plomo.

También se hizo un experimento parecido con ratas. Las protegidas sólo por papel negro «se volvieron cada vez más hiperactivas y agresivas en el plazo de tres a diez días, y luego se fueron quedando progresivamente aletargadas. A los treinta días, estaban extremadamente aletargadas y era necesario empujarlas para que se movieran por la jaula». Las ratas protegidas por el revestimiento de plomo mostraban muchos menos síntomas anómalos, los cuales además habían tardado mucho más en desarrollarse.

Quizá el trabajo más importante de Ott en este contexto sea el que hizo acerca de la luz fluorescente, que es del CRT. Descubrió que diferentes formas de luz tenían marcados efectos en la corriente de cloroplastos: el movimiento de formación de células dentro de las plantas. Sometida esa corriente a la luz solar, se mantiene un patrón rítmico, mientras que cambia radicalmente con diferentes luces fluorescentes.

El siguiente paso experimental fue someter ratones susceptibles al cáncer a diferentes luces. Un experimento con 300 ratones de ese tipo mostró un índice de supervivencia del 61 % con luz fluorescente rosa, del 94 % con luz fluorescente blanca, del 88 % con todas las luces fluorescentes y del 97 % con la luz normal del día.

Mientras que los efectos de la luz en la ictericia y el raquitismo congénitos son conocidos, existen menos pruebas experimentales sobre los efectos de la luz del CRT en las personas. El doctor Richard J. Wurtman, del Instituto de Tecnología de Massachusetts, escribió un artículo en la *Scientific American* sobre los efectos de la luz artificial. Aunque se mostraba conforme con Ott en que el cuerpo puede estar radicalmente influido por diferentes espectros de luz, Wurtman llegó a la siguiente conclusión:

«Tanto el gobierno como la industria han consentido en aprobar que las personas que compran lámparas eléctricas —primero incandescentes y ahora fluorescentes— sirvan de sujetos inconscientes para un experimento a largo plazo sobre los efectos de los ambientes iluminados artificialmente en la salud humana. Por suerte, hasta ahora el experimento no ha demostrado la presencia de efectos nocivos».[6]

Así pues, ¿es perjudicial la luz de la televisión para la salud de los niños? Dado que los bebés y los niños son extremadamente sensibles a la luz, la exposición a la luz fluorescente y a la de la televisión ha de ser estrictamente limitada. Para los bebés y los pequeños que dan sus primeros pasos no hay mejor luz que la del día o la del sol.

Radiación electromagnética

La evolución del CRT ha dado por resultado unos estándares de protección de la radiación cada vez más elevados; pese a todo, Ott argumenta que la radiación electromagnética de bajo nivel emitida podría tener efectos sin mostrar daños visibles. La radiación electromagnética (o EMR) es la que emiten los electrodomésticos, las instalaciones y las líneas de conducción eléctrica. Cada vez que enchufa un electrodoméstico, recibe el flujo de la EMR. Aunque las EMR están pensadas para no causar efectos serios a la salud, algunos investigadores creen que hasta los campos de bajo nivel pueden causar estrés a nuestros cuerpos y cerebros. El Consejo Nacional de Protección contra la Radiación, de Estados Unidos, se mostraba preocupado por lo siguiente: «Hay una serie impresionante de datos que sugieren que incluso las muy breves exposiciones a las EMR producen efectos sutiles y a largo plazo sobre la salud humana».[7]

El flujo continuo de radiación electromagnética es una de las razones por las que la gente padece fatiga cuando trabaja con una pantalla durante un tiempo prolongado, y también explica por qué muchas personas se quedan dormidas frente al televisor. Los afectados por las EMR sienten que la exposición los desorienta, por lo que su cerebro rehúye el estrés quedándose dormidos.

Recuadro 7

Sugerencias para ver la televisión de una manera saludable

Muchos aparatos accionados por la red eléctrica emiten radiación desde los campos electromagnéticos. Existe cierta preocupación sobre los posibles vínculos entre la EMR y el cáncer, así como sobre posibles efectos en el cerebro y en el sistema nervioso.

Sugerencias:
- Siéntese al menos a dos metros de la pantalla, ya que la EMR disminuye con la distancia.
- La parte de atrás del televisor puede emitir EMR.
- Los televisores emiten radiación aunque no estén encendidos; desenchúfelo de la red y, de paso, ahorrará energía.
- Existen numerosos dispositivos de protección para contrarrestar la EMR.

Sin embargo, también depende del individuo: algunos son tan extremadamente sensibles a las EMR, que incluso padecen dolores. A una persona, por ejemplo, ver la televisión le resultaba tan doloroso que dispuso una serie de espejos que reflejaban las imágenes en otra habitación, lo que le permitía verla con comodidad.

No obstante, hay un amplio abanico de respuestas individuales a las EMR; algunas personas no experimentan ningún efecto. Una prueba que puede hacer es prestar atención a las reacciones de su cuerpo cuando se acerca gradualmente a un televisor o a un ordenador. Limítese a prestar atención a lo que siente su cuerpo. Cuando yo lo probé con un ordenador, por ejemplo, noté una ligera tensión en los músculos al levantarme después de haberlo usado. Hay bastante gente que cuenta que trabajar con el ordenador le crea tensión física: las causas pueden ser varias y la EMR podría ser uno de los factores. Los efectos de la EMR, dependiendo a su vez de cada persona, también pueden ser demostrados mediante la cinesiología o prueba muscular, de acuerdo con el doctor Charles Krebs, que llama a los efectos de la EMR «electroestrés». Escribe que éstos pueden afectar a la integración cerebral y al equilibrio energético:

«Si tiene una buena integración cerebral y su cuerpo está energéticamente equilibrado, tendrá una gran resistencia a estas perturbaciones electromagnéticas. Pero si posee poca integración cerebral, el flujo constante de energía electromagnética puede provocar una distorsión en su cuerpo energético, que a su vez puede causar confusión mental y otros efectos fisiológicos como la fatiga. Incluso a las personas con buena integración cerebral, la larga exposición a estos campos puede producirles un colapso de la función mental y fatiga».[8]

Los síntomas de la pérdida de integración cerebral incluyen empezar a hacer faltas de ortografía, perder el hilo de lo que se está escribiendo y cansancio.

Krebs enfatiza que en el mundo moderno es difícil evitar la luz fluorescente, la televisión y el ordenador. Sugiere que, en vista de esta furiosa embestida electromagnética, se puede mantener la integración cerebral mediante dispositivos protectores y equilibrando los sistemas energéticos del cuerpo a base de cinesiología y gimnasia cerebral.[9] (Véase apéndice 3: Movimiento, salud y sugerencias ergonómicas para el uso del ordenador.) De todas maneras, la respuesta humana a las EMR es tan variada como la respuesta a los alérgenos: sólo la gente que sea electromagnéticamente sensible sufrirá daños con una exposición normal.

Emisiones tóxicas

En las emisiones de los nuevos CRT hay 21 elementos químicos, que tardan 360 horas en disiparse. En las salas de ordenadores de los lugares de trabajo tales emisiones pueden provocar irritaciones en la piel, los oídos, la nariz y la garganta. Los campos electromagnéticos de los CRT constituyen un posible riesgo de cáncer; donde menos protección hay es a los lados y en la parte de atrás de los televisores. Los aparatos nuevos suelen ser más seguros, pero los niños deberían sentarse a una distancia razonable: digamos, a un metro de los CRT que tengan más de 5 años.[10]

Daño causado por el esfuerzo repetitivo (RSI) y lesiones musculoesqueléticas

> «Los daños infantiles por el esfuerzo repetitivo probablemente sean una bomba de efecto retardado esperando a explotar.»
>
> Doctora Margit Bleeker[11]

Hoy en día, el uso del ordenador está extendido en muchos colegios, incluso en las clases de los más pequeños. Un estudio halló que los alumnos pasaban 16 horas a la semana utilizando ordenadores, y más de 3 al día. El RSI y el síndrome del túnel carpiano en adultos han dado lugar a pruebas de salud y seguridad en los lugares de trabajo, así como a un rediseño ergonómico. Sin embargo, en los colegios y en las casas esto no se suele tener en cuenta.

Recuadro 8

Estudio de un caso

Charlotte Cook, de 14 años, dice que ha padecido fuertes dolores de cuello desde que empezó a usar el ordenador para los deberes del colegio, hace cuatro años. Pasa como mínimo una hora haciendo deberes cada noche con su teclado, y los fines de semana hasta cuatro horas. Además, utiliza el ordenador en el colegio para hacer ensayos de investigación con Internet. Cada tres meses, Charlotte recibe tratamiento quiropráctico para contener el problema. En ocasiones, el dolor se agudiza tanto, que se ve obligada a faltar un día a clase.

Charlotte, de Godalming, Surrey, dijo lo siguiente: «Normalmente, después de estar un rato largo haciendo los deberes, me duele el cuello y la parte alta de la espalda, entre los hombros. Me tengo que fijar en cómo me siento, pero no siempre es fácil porque estoy muy concentrada en el trabajo que hago».

B. Marsh y J. Mills, *Daily Mail*, 28 de noviembre de 2002

La repetición constante de un número limitado de leves movimientos con las manos, como teclear y apretar el ratón, puede tensar las manos, los tendones, los músculos, los nervios y los huesos de los niños en edades sensibles. De hecho, el ordenador es para los niños pequeños una especie de camisa de fuerza tecnológica para el cuerpo. A los niños el cuerpo les pide moverse, por lo que estar sentados frente a una pantalla se les hace duro.

El doctor Leon Straker, de la universidad de Curtin, en Australia, decía lo siguiente: «Ésta es la primera generación de niños que han usado ordenadores desde la infancia, cuando se están desarrollando sus huesos y sus músculos. Si no aprendemos enseguida cómo usarlos de una manera segura, creo que veremos a muchos niños discapacitados por el uso de los ordenadores».[12]

Recuadro 9

La generación del ordenador se enfrenta a una vida dolorosa

Uno de cada tres niños acabará con lesiones permanentes y dolorosas por las horas que pasan frente al ordenador, advierten los expertos. Temen que una epidemia de lesiones por el esfuerzo repetitivo se cierna sobre los más jóvenes que pasan horas sentados frente a la pantalla usando el teclado o el ratón. De acuerdo con un estudio publicado ayer, el 36 % de los niños de 11-14 años sufre un continuo y fuerte dolor de espalda... Se ha prestado poca atención a la investigación sobre los efectos del ordenador en los niños. Pero los jóvenes de hoy son los primeros que han usado ordenador desde una edad temprana, a la que todavía están desarrollándose sus músculos y sus huesos.

El catedrático Peter Buckle, del Robens Centre for Health Economics, de la universidad de Surrey, describía los hallazgos del estudio, que incluía a más de 2.000 jóvenes, como muy alarmantes...

La investigación sugiere que los que padecen débiles dolores de espalda en el colegio es muy probable que tengan problemas durante toda la vida, según la opinión del citado catedrático. Parte del problema, dijo en una conferencia, es que los niños tienen que usar un equipo de ordenador y un mobiliario en casa y en el colegio que están diseñados para adultos... [La mayor parte de los padres] parecen no darse cuenta de los posibles peligros que corren los niños que pasan mucho tiempo sentados sin apoyarse, con el cuello torcido y las muñecas excesivamente extendidas. El profesor sugiere que las aulas deberían someterse a una valoración en cuanto a salud y seguridad... Aconseja a los padres observar cómo usan sus hijos el ordenador y animarlos a que hagan ejercicio y se sienten en una postura apropiada.

Tim Utton, reportero científico, *Daily Mail*,
10 de septiembre de 2000, página 15

En Australia llevan utilizando el ordenador en los colegios desde hace mucho más tiempo que en Gran Bretaña, y el problema está saliendo a la luz. El estudio del doctor Straker halló que incluso los niños de 10 años padecían dolores crónicos por el RSI. Los niños que examinó usaban el ordenador más de tres horas al día y tenían dolores de cuello, espalda, hombros y cabeza. Halló problemas en el 60 % de los niños que usaban el teclado.

Los portátiles provocan más riesgos de lesiones musculoesqueléticas que los ordenadores de sobremesa, según Allan Hedge, de la universidad de Cornell. La mala postura y el esfuerzo son el resultado de llevar de un lado a otro el ordenador portátil, cuyo teclado y monitor van unidos; los estudiantes forzaban el cuello, porque el monitor estaba demasiado bajo, o las muñecas, porque el teclado estaba demasiado alto. El consejo que les daba a los chicos mayorcitos era que hicieran una pausa cada veinte minutos y que no estuvieran más de tres cuartos de hora seguidos frente a la pantalla del ordenador.

Recuadro 10

Los niños de hoy en día afrontan una vida con dolor de espalda

Las horas que pasan sentados ante la pantalla del ordenador y las mochilas tan pesadas que llevan al colegio están condenando a los niños a toda una vida con dolor de espalda, de acuerdo con las investigaciones (de la British Chiropractic Association)... La asociación... dice que los niños actuales corren más riesgo que nunca hasta la fecha de desarrollar dolor en las articulaciones y en la espalda... En torno al 38 % de los padres estiman que sus hijos pasan más de cinco horas semanales jugando con videojuegos o utilizando un PC...

El uso del ordenador ha de ser reducido a períodos inferiores a los 40 minutos seguidos, durante los cuales hay que sentarse cómodamente con la columna vertebral apoyada... La situación de los niños es ahora tan seria, que deberían hacerse rutinariamente un chequeo de la espalda como se lo hacen de la dentadura, según la BCA... Tim Hutchful, de dicha asociación, decía lo siguiente: «Los niños son extremadamente vulnerables a tener problemas de espalda a lo largo de su vida, ya que sus débiles huesos todavía están desarrollándose... Nuestra investigación ha puesto de relieve lo preocupados que están los padres».

Un estudio realizado por unos médicos finlandeses, que se publica este mes en el *British Medical Journal*, halló un alarmante aumento de la incidencia del dolor en el cuello, los hombros y la parte baja de la espalda entre los adolescentes, desde el año 1991 hasta 2001. El estudio reveló que entre las chicas, el 24 % de las de 14 años, el 38 % de las de 16 y el 45 % de las de 18 tenían problemas en la parte alta de la espalda. Los médicos, de la universidad de Tampere, sugerían que la culpa la tenía el aumento del uso del ordenador.

Tim Utton, reportero científico, *Daily Mail*,
21 de octubre de 2002, página 19

Obesidad infantil, falta de ejercicio y trastornos de movilidad

La de ahora es la generación de niños más sedentaria de la historia, por lo que los niveles de obesidad infantil han aumentado espectacularmente y los del buen estado físico han descendido. Con la obesidad hay un mayor riesgo de diabetes infantil. Uno de cada diez niños menores de 4 años es obeso debido a la comida basura, llena de grasa o azucarada, a la falta de ejercicio y al estilo de vida sedentario dominado por la televisión y el ordenador. Un tercio de los adultos tiene también sobrepeso; de ahí que corran más riesgo de padecer ataques cardíacos, diabetes e hipertensión. Los niños que ven la televisión más de cuatro horas al día pesan significativamente más que los que la ven menos de dos horas.[13]

El riesgo para la salud debido al creciente aumento de *couch potatoes* —los que no se despegan del televisor— ha dado lugar a acciones para llamar la atención al respecto. En enero de 2001, por ejemplo, las estrellas olímpicas británicas Steve Redgrave y Denise Lewis empezaron a recorrer clubes juveniles y colegios de toda Gran Bretaña para animar a los jóvenes a que vieran menos la televisión e hicieran más ejercicio. Asimismo, el gobierno propuso fomentar la educación física después de las clases para elevar los niveles de salud entre los escolares.

La falta de ejercicio perjudica también a la educación y al estudio, ya que el movimiento es esencial para un aprendizaje saludable. El movimiento activa la mente y el cuerpo, capacitándonos para integrar y asimilar nueva información. Phyllis Weikart es una experta en desarrollo infantil que está preocupada de que las necesidades de movimiento de los niños hayan sido olvidadas en favor de una perspectiva parcial del desarrollo cognitivo. Según sus observaciones, los niños de hoy hacen hasta un 75% menos de actividad física que en 1900:

«Los niños no juegan, pese a que a través del juego tiene lugar una gran cantidad de aprendizaje activo. Antes los niños jugaban de manera natural con chicos de diferentes edades y en la calle, casi siempre sin la vigilancia de los adultos. A través de ese tipo de juegos se desarrollaba la atención visual y auditiva, así como la coordinación del cuerpo. Ese *aprendizaje físico ha de producirse antes de que los niños empiecen a manejar abstracciones*, cosa que no ocurre sin esas experiencias previas. A los niños no se les anima tanto como antes a que pasen mucho tiempo gateando o explorando su entorno físico. Tenemos unos hijos que no se están criando con una coordinación adecuada. El resultado es que los niños se vuelven torpes... El cuerpo es el principal centro de aprendizaje para el niño. Prestamos poca atención al cuerpo y, de este modo, no levantamos los cimientos del desarrollo como es debido».[14]

Los especialistas en el desarrollo infantil observan la conexión existente entre la torpeza y las dificultades de aprendizaje, y hacen hincapié en el crucial papel que desempeña el movimiento en los niños. El movimiento activa el crecimiento físico, sensorial e intelectual, y los niños cuyo movimiento físico es limitado pueden padecer un crecimiento retrasado de sus facultades *aparentemente* no relacionadas con el movimiento, como la habilidad para comprender conceptos. «Cada vez que nos movemos de una manera airosa y organizada, se produce una activación e integración de todo el cerebro, con la que se abre de manera natural la puerta del aprendizaje», según Carla Hannaford. De modo que *aprendemos con todo el cuerpo*, más que con un cerebro incorpóreo. «Hago, luego entiendo», como dicen los chinos.[15]

Una historia que ilustra el vínculo entre el movimiento y el aprendizaje es la de Robin Smith, que llegó al Ruskin Mill Further Education Centre a la edad de 16 años. Su tendencia constitucional a una columna vertebral débil le produjo una cargazón de espaldas inducida por el ordenador, después de pasar años siendo adicto a jugar con la *Game Boy*. «Su adicción al ordenador era, en parte, una defensa frente al terrible trauma que le causaba el abandono por parte de su familia», según Aonghus Gordon, del Ruskin Mill:

«El chico creía estar en un emocionante mundo virtual y se sentía totalmente atrapado por esa poderosa actividad hipercinética de los videojuegos. Creía que estaba siendo activo, cuando en realidad, al pasar tantas horas con el ordenador, su conducta era físicamente sedentaria. Pero al mismo tiempo se sentía atrapado por los sobrecogedores y distorsionados símbolos del heroísmo, por las luces electrónicas y por unas velocísimas imágenes que pulverizaban su alma y agotaban su energía. El resultado fue que Robin desarrolló una cargazón de espaldas crónica por mirar la pantalla de cerca».

¿El remedio? Aonghus Gordon consiguió que Robin se moviera otra vez, encauzando su voluntad y su interés hacia ciertas actividades como el soplado de vidrio, bajo la dirección de un maestro artesano de estas estimulantes artes aplicadas. En lugar de usar el tubo de rayos catódicos de cristal para los videojuegos, Robin aprendió a coordinar cuidadosamente la mano y el ojo, así como los movimientos necesarios para moldear el vidrio fundido y para hacer preciosas obras de arte de cristal destinadas a otras personas. Robin ha logrado convertirse en un competente soplador de vidrio y está orgulloso de poder demostrar sus habilidades. El cambio fue vigorizante al tiempo que catártico: un cambio radical a partir de una adicción a hacer «clic» con el ratón. Lo curioso de esta historia es que Robin estuvo involucrado en un proyecto para reciclar viejos CRT con el fin de obtener vidrio y plomo.[16]

Recuadro 11

Movimiento y aprendizaje

El tai chi transforma un mal colegio en todo un éxito

El antiguo arte chino del tai chi ha cambiado por completo una escuela de primaria, capacitando a los alumnos para concentrarse y mejorar su conducta. Los niños han aprendido desde los cuatro años unos ejercicios terapéuticos milenarios que fueron introducidos a raíz del informe de una inspección irrecusable. Cada mañana, antes de las clases, los 56 alumnos hacían diez minutos de ejercicios encaminados a integrar y relajar la mente y el cuerpo con una serie de movimientos lentos, rítmicos e intencionados.

«El tai chi calma a los niños y los deja en buen estado de ánimo», decía la señora Ellis, la directora. «Antes de las clases todos los niños están hiperactivos y no paran de corretear... Después de hacer tai chi se calman y se relajan mucho y están preparados para la clase.»

Sarah Harris, *Daily Mail*, 13 de octubre de 2001

En resumidas cuentas...

Los efectos de la luz del CRT (VDT), las emisiones tóxicas, la EMR de baja frecuencia y la posibilidad de sufrir daños por esfuerzos repetitivos han de ser paliados en casa y en el colegio prestando especial atención a los aspectos ergonómicos.

Los crecientes niveles de obesidad infantil, la falta de ejercicio y los trastornos de movilidad han sido asociados al uso excesivo de los medios electrónicos. El uso inapropiado de dichos medios a una edad temprana es un problema prioritario de salud pública.

6. Peligros sociales causados por la cultura de la pantalla I

Adicción, juego, publicidad y conducta antisocial

«Muchos padres asustados y muchos niños atrapados.»

Doctora Sonia Livingstone, Escuela de Ciencias Políticas
y Económicas de Londres

Los efectos sociales, emocionales y de conducta de la cultura de la pantalla son tan invasivos, y la investigación al respecto tan extensa, que hacen falta dos capítulos para abordarlos adecuadamente. En este capítulo se examinan los efectos de la adicción, el juego, la publicidad y la conducta antisocial. Luego, en el capítulo 7, se discutirá acerca del impacto cognitivo y del aprendizaje en los niños pertenecientes a una cultura de la pantalla cada vez más invasiva.

Cuanto más implantada esté la cultura de la pantalla, menos tiempo quedará para la interacción y la conversación real entre padres e hijos. Dado que los dormitorios de los niños están cada vez más equipados con medios electrónicos, éstos pasan más tiempo «enchufados»: hasta cuatro o cinco horas al día. El número de conversaciones y encuentros cara a cara está disminuyendo porque los padres cada vez pasan menos tiempo con sus hijos. Asimismo, los niños llevan una vida más aislada, pues los miembros de cada familia, incluso viviendo juntos, también se aíslan cada vez más. Este refugio en el mundo electrónico viene también dado por la percepción de un mundo «malvado y conflictivo», que es hostil para los niños que es-

tán fuera de casa y que se considera inseguro: por ejemplo, para jugar en la calle o en el parque.

La doctora Sonia Livingstone está investigando los efectos de los medios electrónicos en los niños, para lo cual ha visitado las casas de muchas familias británicas. Cuando le preguntaron por lo que había encontrado, meneó la cabeza y dijo: «Muchos padres asustados y muchos niños atrapados». En su informe dijo lo siguiente: «Los niños, cuando hablan de salir a la calle, parecen contentísimos y confiados... Para la mayor parte de ellos un día realmente aburrido es el que pasan viendo la televisión». Un padre decía:

«Hoy en día, ni en sueños se me ocurriría dejar al niño que fuera solo al colegio a esa edad (11 años). Prefiero llevarlo yo, porque hay mucha gente rara suelta. Estoy seguro de que hace unos años había también gente rara, pero probablemente no tanta».[1]

Así pues, los padres llenan el dormitorio de sus hijos de medios electrónicos como sustitución o en compensación por no poder salir a la calle. La doctora saca la siguiente conclusión:

«Si sumamos los temores tan particularmente fuertes que suscita la calle en Inglaterra al hecho de que los niños ingleses tienen más televisiones en su cuarto que todos los niños de Europa, podremos hacernos una idea de la compensación que los padres parecen ofrecer a sus hijos».

De ahí que nuestros hijos normalmente acaben con una «dieta» de interacción electrónica y se pierdan la experiencia de estar con sus amigos.

Recuadro 12

Los ordenadores «ponen a los trabajadores en riesgo de padecer una enfermedad mental»

Según una investigación reciente, pasar cinco horas frente a un ordenador puede aumentar enormemente el riesgo de depresión e insomnio. De uno de los mayores estudios sobre los peligros de los ordenadores en el lugar de trabajo, realizado a 25.000 personas, se ha deducido que pasar demasiado tiempo frente a la pantalla daña la salud mental de los empleados...

Los investigadores piden que los empleados restrinjan el tiempo que pasan en los terminales, tras estudiar los efectos que estos causan sobre la salud durante un período de tres años. «Esta investigación sugiere que la prevención de los trastornos mentales y del sueño requiere limitar el uso del ordenador a menos de cinco horas diarias», según el principal investigador, el doctor Tetsuya Nakazawa, de la universidad japonesa de Chiba.

Los resultados, publicados en el *American Journal of Industrial Medicine*, mostraron que... una vez que los oficinistas cruzaban el umbral [de cinco o más horas al día], aumentaban los peligros de padecer trastornos mentales... El catedrático Cary Cooper, del Instituto de Ciencia y Tecnología de la universidad de Manchester, decía que estaba aumentando la preocupación acerca de los problemas de salud mental causados por trabajar con ordenadores.

Daily Telegraph, 31 de diciembre de 2002

Vivir juntos, pero separados

Robert D. Puttnam ha estudiado la tendencia a un mayor aislamiento social y a una renuncia a la vida en comunidad. Cree que la televisión ha erosionado la vida, las relaciones sociales y la confianza en la sociedad, hasta el punto de que cada vez estamos más solos. Leer el periódico, en cambio, va unido al compromiso social. Puttnam sugiere que la televisión destruye el capital social debido al tiempo que se pierde viéndola y al efecto del «mundo malvado y conflictivo»; de este modo, los que ven mucho la televisión suelen ser cínicos con respecto a otras personas y propensos a la pasividad y al pesimismo acerca de la naturaleza humana. Los medios electrónicos consumen tanto tiempo como otras actividades discrecionales como jugar, cultivar aficiones, practicar deporte, visitar a los amigos o simplemente «mirar las musarañas». También sugiere que la televisión va asociada a una mayor agresividad, aunque no a una violencia real, y que además dificulta la instrucción. El peligro de los medios electrónicos es que están privatizando nuestra vida familiar y comunitaria.[2]

La adicción a la electrónica: la droga de la conexión

El abandono de la vida social provocado por la electrónica ha sido observado también en el lugar de trabajo. Una compañía se enteró de que la gente pasaba hasta tres horas al día enviando e-mails, normalmente a sus «compañeros» de trabajo, en lugar de ponerse en contacto con ellos personalmente. Una explicación de este abandono es que el CRT es una «droga de la conexión», y también que existe una creciente dependencia de la televisión. Mucha gente está tan enganchada, que muestra cinco indicadores de la dependencia comúnmente reconocidos:

- Muchos televidentes intentan ver un solo programa, pero luego se quedan horas y horas viendo la televisión.
- Los que aceptan que la ven demasiado son incapaces de verla menos.
- Se sacrifican importantes actividades sociales a favor de ver la televisión.
- Cuanto más tiempo se lleva viéndola, más le cuesta a uno apagarla.
- Síndromes de abstinencia después de ver la televisión o cuando los muy adictos la ven menos o intentan cortar del todo.[3]

Esto no debe sorprendernos, ya que los programas de la televisión están cuidadosamente orientados a captar la atención, y el medio, por sí mismo, *requiere* atención. Seguramente, a todos nos ha pasado alguna vez que estamos sosteniendo una conversación en un cuarto mientras los ojos se nos van al televisor.

En suma, la televisión es un poderoso medio al que los adultos, y no digamos ya los niños, se resisten con dificultad. Como ya se ha dicho, es difícil despegar los ojos del televisor por el rápido movimiento electrónico, la abundancia de imágenes y la multitud de recursos técnicos. El contenido destacado está diseñado por los programadores para llamarnos la atención. La hipótesis televisión/cerebro (discutida en el capítulo 4) sugiere que el CRT «desconecta» el crítico cerebro izquierdo, poniéndonos en un estado de «colocados» que está abierto a cualquier cosa que se mueva. Como ya hemos visto, los Emery consideran que la luz radiante y fluorescente de la televisión «obstruye» el cerebro consciente y elimina las funciones de la toma de decisiones que le capacitan a uno para apagar la televisión. Para «verla consciente y críticamente» uno tiene que oponer resistencia a la respuesta electrónica básica del cerebro al medio de la televisión, que es desconectar.

La adicción televisiva ya no es una metáfora, según escriben Robert Kubey y Mihaly Csikszentmihalyi en la prestigiosa revista *Scientific American*[4]. Citando encuestas que muestran que el 10 % de los adultos se autocalifican de teleadictos, y que siete de cada diez adolescentes dicen que pasan demasiado tiempo viendo la televisión, observan que aunque la gente elige verla, ¿por qué tantos expresan malestar por lo mucho que la ven? Y formulan la pregunta clave: «¿Cómo se produce la adicción a la televisión?».

En primer lugar, tras hacer unos encefalogramas (EEG) a televidentes, se sorprendieron al descubrir que la sensación de relax terminaba cuando desenchufaban el aparato, pero continuaban las de pasividad y torpeza. Los teleadictos sentían que se habían quedado sin energía, que después de haberla visto les costaba más concentrarse y que estaban del mismo o peor humor que antes. Este hallazgo contrastaba con la sensación que obtenían de la lectura, las aficiones y el deporte, después de los cuales se sentían mejor.

Pero al volver a encender el televisor, los televidentes no se sentían otra vez más relajados. Los investigadores dedujeron que los televidentes tienden a asociar el ver la televisión con el relax y la falta de tensión, creencia que se ve reforzada cuando apagan el televisor y vuelve la tensión. Como ocurre con otras adicciones, ver la televisión lleva a verla cada vez más; de ahí que la gente la vea más de lo que se propone, pese a saber que cuanto más la vean, menos satisfacción extraerán de ella.

Luego, los investigadores preguntaron por qué la televisión tiene tanta influencia en los televidentes. Una de las causas parece ser la *respuesta orientativa* al peligro, a un nuevo estímulo. Las reacciones orientativas incluyen la desaceleración del corazón, el bloqueo de las ondas alfa, la constricción de los vasos sanguíneos a los músculos y la subida de adrenalina. Las reacciones orientativas están provocadas por el contenido destacado, los ruidos fuertes y recursos técnicos como los cortes y los zooms, que atrapan la atención de los televidentes. De ahí que la gente diga: «Si la tele está puesta, no puedo despegar los ojos de ella... Me siento hipnotizado por la pantalla». Los anuncios con muchos cortes, normalmente uno o dos por segundo, provocan continuamente la respuesta orientativa.

Dicha respuesta está profundamente arraigada y comienza cuando los bebés tienen sólo seis semanas, pues se ha observado que atienden al sonido y a las luces de la televisión. Los bebés un poco mayorcitos estiran el cuello, girándolo a veces hasta 180º, para echar un vistazo al televisor.

El argumento más convincente de que la teleadicción no es una mera metáfora es que cuando la gente recorta el tiempo de ver la televisión, experimenta *síndrome de abstinencia.* «La familia entera dábamos vueltas como pollos sin cabeza, chillando sin cesar. Los niños me molestaban y me ponían los nervios de punta. Intenté que se interesaran por algunos juegos, pero fue imposible. La televisión forma parte de ellos.» Cuando se ha pagado a las familias para que dejen de ver la televisión una semana o un mes, como en la *Tv-Turnoff Week,* muchas de ellas padecieron conflictos y fueron incapaces de concluir el experimento.

Otro asunto que suscita una preocupación considerable es hasta qué punto los usuarios del ordenador y de los videojuegos están sujetos a niveles similares de dependencia. Hay muchos niños y adolescentes que parecen adictos a los videojuegos y a los que les resulta difícil apartarse de ellos. Los chicos parecen mucho más susceptibles que las chicas: por ejemplo, al síndrome del dígito de la palanca de control, al síndrome Sega —del pulgar/ratón/codo— y al de la vibración mano/brazo. Un doctor diagnosticó «dedos blancos por la vibración» a un chico de 15 años de Liverpool que había estado jugando hasta siete horas diarias con la Sony Playstation. (Sony hace advertencias en sus juegos; aconseja que cada hora se haga una pausa de 15 minutos y advierte contra posibles ataques epilépticos.)[5]

Aunque los videojuegos ofrecen mucho entretenimiento y grandes estímulos, la continua activación de la respuesta orientativa puede dejar a los jugadores rendidos, perplejos, cansados y con náuseas. Un ejemplo extremo de tales efectos ocurrió en Japón en 1997, cuando cientos de niños ingresaron en el hospital porque padecían «ataques epilépticos ópticamente estimulados», provocados por los destellos de un videojuego Pokemon que habían visto en la televisión. A los padres les parece que los rápidos movimientos de la pantalla pueden causar mareo a sus hijos al cabo de tan sólo 15 minutos. Sin embargo, muchos niños continúan jugando más tiempo, en especial si no están vigilados o si carecen de autodominio.

Recuadro 13

¿Es el videojuego uno de los productos más adictivos que se han inventado?

Si compra un videojuego de 30-45 libras para su hijo, sepa que accede a una actividad potencialmente adictiva que puede tener al niño ocupado cientos de horas. La mayoría de los juegos están diseñados para que los jugadores no puedan apartar la vista de la acción, para recompensarles por seguir, para desafiarlos y comprometerlos y, una vez finalizado el juego, para volver al principio e intentar demostrar un mayor grado de habilidad... o para comprar el siguiente videojuego.

Hay diferentes tipos de juegos:

1. Simulaciones deportivas: hockey sobre hierba, golf, atletismo. Por ejemplo, Hole in One.
2. Super Racers, que estimulan deportes de motor como la carrera de Fórmula 1.
3. Aventuras en las que los jugadores pueden acceder a un mundo de fantasía y adoptar nuevas identidades, como las de la familia Addams.

4. Enigmas: rompecabezas, ajedrez, damas, etc.

5. Juegos misteriosos o misceláneas como Sim City, una simulación de la vida familiar y comunitaria.

6. Juegos de plataforma, que consisten en correr y saltar sobre plataformas, como Super Mario Brothers y Skateboards.

7. Otro tipo de juego de plataforma en el que se trata de destrozar todo lo que se ponga por delante, como Robocop o Batman.

8. ¡Derríbalos!: juegos en los que intervienen la violencia física —dar puñetazos o patadas—, como por ejemplo Street Fighter y Rival Turf.

9. ¡Destrózalos a tiros!: juegos de disparar y matar usando diferentes armas.

Desde luego, los videojuegos, si se usan con cuidado, son una provechosa fuente educativa y un entretenimiento, siempre y cuando los padres sean sensatos y tengan cuidado a la hora de elegirlos y de imponer reglas sobre el tiempo que pueden pasar los hijos utilizándolos. Muchos niños seguirían jugando si sus padres no les pusieran límites, por lo que necesitan ayuda para aprender a parar. Algunos, si se los dejara a su aire, se convertirían en «yonquis del teclado». Para saber si los videojugadores son o no son adictos, consulte los indicadores de las cinco dependencias de la página 96.

El catedrático Mark Griffiths escribe lo siguiente:

«... Jugar excesivamente a los videojuegos puede tener efectos potencialmente nocivos sobre una minoría de individuos, que muestran una conducta compulsiva y adictiva y que harán todo lo posible por "alimentar" su adicción. Tales individuos necesitan ser controlados».

Mark Griffiths, «¿Son los videojuegos malos para los niños?»,
The Psychologist, septiembre de 1993

Empobrecimiento del juego y de la infancia

El trabajo de un niño es jugar. El juego implica imitación, recreación, invención, creatividad e imaginación. A través del juego un niño pequeño imita primero los sucesos cotidianos y luego los recrea teatralmente. El juego es el pórtico de la imaginación, pero también sirve para adquirir habilidades sociales, coordinación y una comprensión del mundo. «¡Vamos a jugar!» es una invitación a ser activo, a explorar, a pasárselo bien y a imaginar. El juego imaginativo es absorbente y comprometedor, y proporciona «alimento anímico» para el resto de la vida.

Sin embargo, de acuerdo con la especialista en juegos Sally Jenkinson, el espíritu juguetón de la infancia está amenazado de peligro. «Nuestra sociedad polarizada —entre el trabajo y el ocio— ha perdido el espíritu lúdico.» Jenkinson describe la infancia de hoy en día como reprimida: a los niños se los mantiene ocupados, por ejemplo, con los medios electrónicos y con la inexorable presión de ser «educados» desde una edad muy temprana. Para Jenkinson «el precio de una infancia acelerada, de hacer "demasiadas cosas demasiado pronto", puede ser una entrada precoz y precaria en la edad adulta, y una eventual sobrecarga. Hemos de darnos cuenta de que un niño con déficit de juego es un niño en desventaja».[6]

Por otra parte, el sistema escolar ha aceptado sin espíritu crítico la tecnología del PC, y algunos colegios pueden incrementar y agravar esa desventaja. Así, por ejemplo, un profesor le dijo a una madre que comprara para su hijo de 7 años videojuegos de Nintendo, otros portátiles de Disney Game Boy y vídeos de Pokemon, para que estuviera a la altura de sus compañeros de clase.

Otros factores que empobrecen el juego son: un espacio de juego limitado, pocas facilidades para jugar al aire libre, falta de compañeros de juego, juguetes tan «perfectos» que no dejan lugar a la imaginación y poco estímulo por parte de los padres. La televisión y los ordenadores pueden robar horas de juego y acarrear la grave consecuencia de crear niños privados de juego.

«Para lo único que Jim utiliza los palos es para hacer de pistola. No se los imagina siendo escobas, espadas, cucharas, varas o plumas como los niños que no ven la televisión», me comentaba un profesor de preescolar, y continuaba:

«En una ocasión, había tres niños jugando con un cajón lleno de cubos de madera. Uno de ellos (no televidente) estaba completamente absorto. Era asombroso ver la de cosas que se le ocurrían. Se notaba claramente la diferencia que había entre él y otro niño de 5 años que veía mucho la televisión. Éste se apropiaba de las ideas ajenas y le resultaba difícil jugar con tanta inventiva».

En las clases de preescolar y en los parvularios, donde los profesores observan detenidamente la habilidad para jugar de los niños nuevos, se confirmaron los hallazgos de John: los muy televidentes son menos imaginativos y se implican menos en el juego, muestran menos iniciativa, son más propensos a esperar que otros los entretengan, prestan menos atención a las historias, carecen a veces de coordinación y no juegan tan constructivamente como los niños que ven poco o nada la televisión.

Los especialistas en juegos distinguen entre el *juego imitador*, influido por los medios audiovisuales, cuyas acciones se copian o se repiten, y el *juego simbólico*, caracterizado por la imaginación, la resolución de problemas y la transformación. En el juego simbólico los niños hacen el guión, la actuación y la dirección resolviendo cosas a su manera, sin limitarse a repetir el contenido de los medios. Cuando a principios de los años 90 se emitió, por ejemplo, Teenage Mutant Ninja Turtles —las adolescentes y mutantes tortugas Ninja—, los profesores de parvulario observaron lo siguiente:

«El juego carece de contenido real. Los niños sólo nombran a los personajes y no tienen noción de lo que hay que hacer, excepto correr, amenazar y atacar.»

«Hay una falta de guión, y los niños implicados en el juego apenas saben qué hacer.»

«El juego es sólo para chicos y está muy estereotipado. Los chicos son fuertes, machistas y violentos.»[7]

Los niños usan el juego para transformar su experiencia en algo que sea personalmente significativo. Desarrollan sus propias intuiciones mientras dominan activamente el juego, y cada niño lo hace a su manera. Sin embargo, la observación que hicieron los profesores acerca del juego influido por las tortugas Ninja fue que los niños, más que jugar *realmente*, imitaban, y todos lo hacían de un modo muy similar. Y cuando los niños llevan a cabo las mismas acciones repetitivas, sin ninguna clase de reelaboración o variación, se quedan bloqueados, intentando abrirse camino a través del contenido de los medios, pero incapaces de ir más allá.[8]

Creatividad e imaginación

Tannis Macbeth Williams halló que en Notel (una ciudad canadiense de montaña que previamente no había tenido televisión) la introducción de la televisión afectó negativamente a la conducta de los adultos, a los que se les mandó hacer unas tareas creativas para resolver problemas. Dichas tareas requerían pensar en alternativas poco comunes, y no quedarse empantanado en métodos «obvios» de abordar el problema. Las conclusiones fueron que la televisión puede llevar a «una disminución de la atención y a una menor tolerancia a la frustración». La sustitución de las experiencias relacionadas con resolver problemas por ver la televisión puede dar por resultado un repertorio más limitado de soluciones divergentes.[9]

¿Cuáles son, sin embargo, los efectos de la televisión en la imaginación y la creatividad de los niños pequeños? En un ensayo acerca de los juguetes, Tim Hicks se mostraba preocupado de que la fresca, viva e imaginativa receptividad de los niños esté siendo explotada por el medio televisivo. Y escribía lo siguiente:

«Con la televisión, los fabricantes tienen acceso directo a la conciencia receptiva —de imágenes— de los niños. Por naturaleza, los niños están dispuestos a buscar inconscientemente las imágenes que les enseñan qué es el mundo y quiénes son ellos. Ansiosos por descubrir el mundo, todo lo que les llega lo añaden a la continua definición de dichas imágenes. Así pues, como están creciendo y formándose a sí mismos e intentando comprender el mundo, son profundamente vulnerables a la influencia de las imágenes que presenta la televisión y se sienten capturados por ellas. La televisión es un factor tan poderosamente manipulador e influyente porque introduce las imágenes directamente en la conciencia del niño, de una manera casi quirúrgica, con lo que el niño o la niña apenas tienen barreras con las que protegerse».[10]

La imaginación de nuestros hijos también está colonizada por las imágenes penetrantes de los fabricantes de juguetes. Los niños pierden su espacio interno para crear sus propias imágenes y empiezan a ser capaces de imaginar y estructurar su propia experiencia emergente solamente a través de las imágenes tan persistentemente suministradas por los directores de márketing de los medios de comunicación de masas.

De este modo, la televisión ha iniciado un proceso que conduce a la atrofia de la imaginación, y en lugar de desarrollar la capacidad imaginativa de un niño, únicamente desarrolla la habilidad para manipular imágenes en la pantalla. El material videográfico, por ejemplo, capacita a los niños para configurar imágenes en la pantalla de la televisión. Un anuncio decía lo siguiente: «Nada es tan hipnotizante para los críos como la televisión. Nada les llama más la atención ni les ocupa tanto tiempo... Al principio, [la televisión] los tiene dominados».

La incapacidad de los niños para crear imágenes originales o para jugar imaginativamente puede, pues, ser una consecuencia directa de la sobrecarga mediática en los primeros años de la infancia. Jane Healy, psicóloga especializada en educación, observaba lo siguiente:

«Los profesores creen que los niños de hoy, inmersos en los vídeos, no pueden formar imágenes originales en sus mentes ni desarrollar representaciones imaginativas. Los profesores de niños pequeños lamentan el hecho de que a muchos de ellos, hoy en día, hay que enseñarles a jugar simbólicamente o fingiendo, cosa que hasta ahora se consideraba un síntoma de desorden mental o emocional».[11]

Los niños se vuelven consumidores

Existen tres claras razones por las que los medios electrónicos están especialmente diseñados para «apropiarse» de las mentes de los niños desde una edad temprana con el fin de someterlos a una explotación comercial. En primer lugar, como ya hemos visto en el capítulo 4, el CRT (VDT) «desconecta» el cerebro y, por lo tanto, hace posible la transmisión de imágenes sin una selección consciente: el medio publicitario ideal desde el punto de vista del anunciante.

En segundo lugar, los niños menores de 8 años son incapaces de entender los objetivos de la publicidad y tienden a aceptar las afirmaciones como ciertas. Por esta razón, la American Academy of Pediatrics ha llegado a la conclusión de que toda publicidad dirigida a los niños es «inherentemente engañosa y explota a los niños menores de 8 años». Dicha academia, comprensiblemente, ha declarado la guerra a los anuncios para niños, a los que quieren proteger de una dolencia inducida por los anunciantes: que se pasen la vida pidiendo los productos anunciados en los medios electrónicos.

Dado que muchos niños ven más de 20.000 anuncios al año, los médicos creen que esto está influyendo seriamente en el bienestar emocional de los niños. El presidente de la academia Saul J. Robinson decía que debería cesar la explotación comercial de los niños a través de una publicidad excesiva e inapropiada. En su opinión, tales anuncios son incluso injustos, pues los niños pequeños carecen de la facultad crítica requerida para evaluarlos. Así, por ejemplo, los niños mayores de 8 años pueden ver más fácilmente que un anuncio es sólo un anuncio. Algunas investigaciones hallaron que unos niños de 5 años describían los anuncios como algo «que te muestra cosas para comprar», mientras que los mayores de 8 años se daban cuenta de que «están intentando venderte cosas».[12][13]

En tercer lugar, hay publicidad sofisticada intercalada en muchos programas televisivos mediante técnicas como los anuncios de texto al pie de la pantalla, y en los servicios de Internet, de tal modo que se crea un ambiente constante de mensajes publicitarios continuos. Éstos están integrados en una estrategia de marketing a través de películas, vídeos, juguetes, comida, cuentos, revistas, ropa y logotipos que explotan sofisticadas técnicas psicológicas.

El resultado es que los padres son incordiados por sus hijos para que les compren cualquier producto que esté siendo lanzado en ese momento. Los anunciantes que aprietan el botón del «poder de incordiar» tienen muy claros sus objetivos (a veces de una manera *cínica*), ya que los niños constituyen un mercado importante. El anunciante James McNeal reconoce con franqueza la gran ventaja que ofrece el amplio mercado infantil:

«Los niños menores de ocho años creen incondicionalmente en los anuncios, tienden a verlos como una parte lógica de la programación y normalmente no se dan cuenta de la intención de vender. La publicidad para niños es prácticamente sólo emoción y persuasión. Los anunciantes despliegan toda la creatividad que son capaces de reunir para crear un ambiente de fantasía, sin apenas ofrecer una información práctica expresada en términos comprensibles para los niños. Los anunciantes tienen la habilidad para convencer a los niños para que les guste y deseen prácticamente cualquier producto, si bien esta habilidad se aplica principalmente a juguetes y alimentos azucarados».[14]

Luego continúa recomendando descaradamente que «los niños deberían ser vistos como unos consumidores muy especiales que se merecen un tratamiento muy especial por parte del sistema de marketing. Esto sólo es necesario durante un breve período, mientras los niños se van convirtiendo en unos consumidores completamente cualificados, lo que sin duda garantizará unos clientes más felices y efectivos para todos los directores de marketing durante toda la vida».

De ahí que los anunciantes hayan *creado* deliberadamente un mercado para adolescentes, para niñas de 10 a 13 años, y ahora incluso para los niños pequeños. Las compañías que venden dulces, helados, música, libros, discos, ropa y juguetes dependen del mercado infantil, y hacen todo lo que consideran necesario para estimular y mantener un flujo continuo de consumidores menores. Como los niños imitan lo que ven, y como la televisión tiene el poder de influir en nuestro lenguaje, en la mente, en la percepción de la realidad y en la base de nuestra conciencia, entonces *tal explotación comercial constituye una intromisión masiva en las vidas de los niños pequeños.*

Pero aunque la habilidad de los niños para detectar la intención de vender de los anuncios mejore con la edad, ¿no deberían tener todos los niños el derecho a librarse de la publicidad, y los padres el derecho a librarse del «poder de incordiar»? Una vía muy sencilla es legislar en contra de cualquier anuncio televisivo o de Internet dirigido a niños, como ya ha ocurrido en Quebec y en Suecia. Tal prohibición daría por resultado una infancia más tranquila, más libre de la explotación comercial y con más espacio para jugar, y capacitaría a los niños para pensar por sí mismos y para desarrollar su propia imaginación y sus propios valores.

Recuadro 14

Cómo contrarrestar el «poder de incordiar»

1. Sea tan claro y firme como le sea posible sobre lo que los niños pueden o no pueden tener, y llegue a acuerdos. Cuantos más padres puedan experimentar y transmitir una firme autoridad y convicción interna (lo que es muy distinto de ser simplemente autoritario), menos probable será que los niños sigan incordiando y pidiendo insistentemente que se les compren cosas.

2. Sea claro en sus decisiones: «He decidido no comprar esto». Si es necesario, explique sus decisiones: «Esto no me lo puedo permitir».

3. Planifique y discuta con antelación lo que va a comprar cuando vaya de compras; entonces los niños estarán menos influidos por lo que esté expuesto y más orientados a lo que han pactado.

4. Decir «no» es bueno: ayuda a que los niños se acostumbren a los límites.

5. Deles una paga regular y anímelos a ahorrar para cosas de valor.

6. Anime a los niños a valorar a las personas por lo que son, no por sus posesiones.

7. Presione a sus representantes políticos (diputados, eurodiputados, ministros del gobierno y concejales locales) a que hagan campañas para que cese la publicidad dirigida a niños.

Conducta antisocial y violencia

Aún continúa abierto el debate sobre los efectos de los medios electrónicos en la conducta de los niños. Algunos, como el teniente coronel Dave Grossman, sostienen que los videojuegos y la violencia de los medios están enseñando a los niños a matar, lo que podría ser una posible explicación de los asesinatos múltiples cometidos en el Columbine School de Colorado o en Erfurt, Alemania. El psicólogo especialista en niños Urie Brofenbenner cree que la socialización de los niños cesa cuando se enciende la televisión. «De modo que cuando pones la televisión, eliminas el proceso que hace que los seres humanos sean humanos.» Los investigadores Jerome y Dorothy Singer, de la universidad de Yale, llegan a la siguiente conclusión:

«... ver mucho la televisión pone a los niños en peligro de ser más agresivos e inquietos, con todas las consecuencias cognitivas y sociales negativas que acarrea tal patrón de conducta. Todos los que hemos estado estudiando durante más de 15 años varios aspectos del medio televisivo de una manera razonablemente científica, no podemos evitar estar impresionados por la significación que tiene este medio para la conciencia emergente del niño que se está desarrollando.»[15]

Ambos argumentan que, por lo tanto, es de suma importancia proteger a los niños de la violencia de los medios.

Otros sostienen que la violencia mediática no da por resultado una mayor agresividad ni una conducta antisocial entre los niños. Cuando se introdujo, por ejemplo, la televisión en la isla de Santa Elena a principios de los años 90, los niños no mostraron signos de una agresividad más acusada. También se dice que la violencia de los medios puede ser positiva, pues ofrece vías para transformar la agresión, del mismo modo que los cuentos infantiles violentos pueden ayudar a abrirse paso a través de los problemas de la vida.

Sin duda, el debate continuará, pese a que la gente común y corriente nota la misteriosa contradicción que hay entre las afirmaciones de los anunciantes por televisión —diciendo que cambian significativamente la conducta consumista de la gente— y las de los «eruditos a la violeta» de los medios audiovisuales —diciendo que es inofensivo que los niños vean programas violentos.

Sin embargo, una cosa en la que se muestran de acuerdo los investigadores es en que los muy televidentes tienden a percibir el mundo como más malvado y conflictivo que los que ven poco la televisión. Los que la ven mucho sobreestiman, en consecuencia, la probabilidad de tener que hacer frente a la violencia, al contrario que los poco televidentes, que tienen una percepción mucho más acertada. Cuanta más violencia se ve en los medios, más amenazada, ansiosa y a la defensiva se siente la gente, hasta el punto de poner alarmas antirrobo, vallas de protección y perros guardianes.

Otra consideración son los elevados niveles de conducta agresiva y violenta que muestran los medios electrónicos. Varias estimaciones apuntan a que los niños han podido ver un promedio de hasta 8.000 asesinatos hacia el final de la escuela primaria, más de 16.000 a la edad de 18 años, y en total la asombrosa cifra de 200.000 actos violentos.[16] Con el acceso a Internet y a los vídeos, algunos niños pueden estar expuestos a mucha más violencia todavía.

Como ya hemos indicado con anterioridad, a los niños pequeños les resulta difícil distinguir la realidad de lo que ven, y desde luego las escenas televisivas violentas son muy reales para ellos. Se han visto incluso niños de 14 meses imitando la violencia de algunos dibujos animados y de las comedias de golpes y porrazos.[17] Si desde una edad temprana se aprende una conducta agresiva o violenta, resulta difícil «desaprenderla»; por ejemplo, un estudio realizado durante 22 años llegó a la conclusión de que «la televisión violenta durante la infancia guarda una relación clara con la posterior conducta de adulto.»[18]

Así pues, ¿cómo afecta a la conducta de los niños ver la televisión? En las Montañas Rocosas canadienses, Tannis Macbeth Williams llevó a cabo un experimento naturalista sobre cómo llegó la televisión a la ciudad de Notel. La autora halló que la conducta agresiva de los niños de Notel aumentó significativamente a raíz de la introducción de la televisión. Los efectos se manifestaron tanto en las chicas como en los chicos, y tanto en agresiones verbales como físicas. Los niños inicialmente poco agresivos aumentaron su agresividad, y no sólo los que inicialmente eran más agresivos. Estos efectos se pudieron observar dos años después de que la televisión llegara a Notel. Los resultados no pudieron ser explicados por diferencias en el coeficiente de inteligencia, ni ser atribuidos a una clase social. La causa parecía ser ver la televisión en general, no ya algunos programas en particular.[19] Procesos psicológicos como la imitación, la desensibilización y la desinhibición pueden explicar el incremento de la conducta agresiva.

Imitación

Del mismo modo que los niños pueden aprender de la televisión una conducta positiva —como la de un niño que salvó a otro de asfixia dislocándole un hueso, según el método que había visto demostrado por televisión—, así también se puede aprender una conducta a partir de «modelos a imitar» negativos. Como ya se ha discutido, los niños pequeños aprenden imitando a otras personas, y los «modelos a imitar» que copian son muy importantes para el aprendizaje social. De ahí que la imitación de modelos agresivos a través del aprendizaje mediático pueda aumentar la agresividad verbal y física de los niños. La atención esporádica a escenas violentas y la falta de comprensión de los niños pequeños de los vínculos entre las acciones agresivas y los castigos, pueden ser algunos de los mecanismos implicados. Los niños, especialmente si no se muestran alternativas positivas ni sanciones, copiarán las escenas de interacción agresiva si las ven repetidas veces.

W. A. Belson demostró que los niños imitan a los «machotes» en un estudio científico exhaustivo realizado en 1972-73 con una muestra de 1.565 chicos londinenses, a los que se les preguntó por sus hábitos televisivos y por su actitud ante la violencia. El doctor Belson halló que, aun teniendo en cuenta variables como la estatura, la fortaleza física, el tamaño de la familia, el barrio en el que vivían o el divorcio en la familia, la violencia televisiva ejercía un efecto muy superior al de estos factores. Llegó a la conclusión de que «los datos apoyan firmemente la hipótesis de que una exposición prolongada a la violencia televisiva incrementa el grado en el que los chicos se vuelven seriamente violentos».[20]

Inmunización, desensibilización y desinhibición

Además de la imitación del modelo a imitar agresivo y de la identificación con él, la violencia mediática puede inmunizar y desensibilizar a los niños. La violencia tiene lugar cuando se inflige a las personas daños físicos o mentales, lesiones o la muerte. Si se ve violencia con regularidad, uno puede acabar inmunizado contra la violencia y el horror. El resultado es que puede ser aceptada como una parte natural de la vida. Los niños repetidamente expuestos a la violencia televisiva eran menos propensos a responder positivamente a las víctimas de la violencia en la vida real.

La *desensibilización* es un proceso que reduce gradualmente los sentimientos normales de las personas, hasta poder estar cómodamente y tan a gusto mientras ven sucesos que, de otro modo, les habrían provocado la más grave preocupación. Los miles de asesinatos, peleas y demás incidentes violentos mostrados por la televisión pueden ser acertadamente descritos como desensibilización masiva.

Otro factor es que *la televisión quita las inhibiciones* que, de otro modo, impedirían que las personas se comportaran violentamente. A través de la desinhibición, la gente deja de sentirse atormentada por la «conciencia», los sentimientos de culpa, la vergüenza o el azoramiento. Uno de los famosos experimentos del psicólogo social Stanley Milgram se puso en marcha para demostrar el efecto desinhibidor de una película violenta. A los individuos se les pidió que suministraran «descargas eléctricas» a otra persona si cometía una falta. En realidad, la víctima sólo hacía como que sufría. De dos grupos, los miembros del primero, que habían visto una pelea con navajas de la película *Rebelde sin causa*, castigaban las faltas mucho más severamente que los del segundo grupo, que sólo habían visto una inofensiva película educativa. Cuando los medios muestran frecuentemente métodos violentos para resolver problemas en la vida diaria, el resultado puede ser perfectamente la desinhibición.

Estereotipos

Otra forma de violencia es la descripción de los grupos de gente de manera estereotipada: por ejemplo, el rol del género estereotipado, el racismo o el prejuicio contra los viejos. La estereotipación vuelve a la gente violenta con los demás, porque el proceso reduce la habilidad para relacionarse con la gente como individuos.

En la ciudad de Notel, Williams encontró que «las actitudes ante el rol sexual de los niños, es decir, las opiniones sobre la conducta típica y apropiada de los chicos y las chicas, estaban más marcadas por el sexo en presencia que en ausencia de la televisión».[21]

Recuadro 15

¡Abajo la falsedad!

A lo largo de todas las horas que vi de programas infantiles había un mensaje constante: los hombres y los chicos son estúpidos y despreciables. Además son técnicamente ineptos, emocionalmente desorientados y —pese a estar obsesionados con las chicas— sexualmente inadecuados...

En la actualidad, la televisión infantil de la BBC tiene fijación por el programa S Club 7: una serie dramática (ambientada en Estados Unidos) con unos personajes que luego vuelven a aparecer una y otra vez en otros programas. Sin excepción, las chicas de estos grupos son ensalzadas como listas, agresivas y dominantes. Los chicos, en cambio, cantan con voces chillonas de soprano y son el blanco de todas las bromas.

El sábado pasado por la mañana, la BBC1 mostraba una escena en la que estas jóvenes mujeres... estaban hablando en una cocina. Cuando una de ellas expresaba nerviosismo por conseguir a su hombre, otra le mostró lo que tenía que hacer: arrinconó al chico que le pillaba más cerca contra la nevera, le agarró la cara con las dos manos, le metió la lengua hasta la garganta, retrocedió, le dio una bofetada y lo derribó...

Christopher Dunkley, «¡Abajo la falsedad!» (una crítica televisiva pasa
una semana viendo la programación infantil),
Daily Mail, 23 de noviembre de 2002, páginas 30-31

Para concluir, parece claro que el proceso de estereotipación, el aprendizaje a través de la observación, la imitación, la identificación, la inmunización, la desensibilización, la excitación física, la desinhibición y la justificación (es decir, que la violencia de los héroes de la televisión justifica la agresividad de los televidentes) pueden causar una mayor conducta antisocial.

Afortunadamente, los padres y los profesores se esfuerzan mucho por socializar a los niños, contrarrestando así tanto como pueden los efectos negativos de los medios electrónicos a base de crear otros positivos. Por ejemplo, cuando la televisión fue introducida en la apartada isla de Santa Elena, en el Atlántico sur, a principios de los años 90, había ya tantas normas sociales positivas que los efectos secundarios de la televisión causaron poco impacto. Los vídeos del patio del colegio, por ejemplo, mostraban niveles muy altos de compañerismo entre unos niños y otros, y bajos niveles de matonismo; y esta conducta sociable continuó tras la introducción de la televisión.[22]

Sin embargo, la mayor parte de las sociedades son muy diferentes de la compasiva cultura comunitaria de Santa Elena. El teniente coronel Dave Grossman, ex guardabosques militar, profesor de psicología en West Point y asesor de shocks postraumáticos en servicios de urgencias y en brigadas policiales, cree que la violencia de los videojuegos está entrenando a los chicos para matar. Sus argumentos constituyen una urgente llamada de atención, pese a que algunos académicos argumenten que la casual relación entre los niveles crecientes de violencia social y la propagación de los medios electrónicos no puede ser clara ni sencilla.

Grossman empieza por preguntarse: «¿Qué hace que un chico de 14 años que nunca ha disparado antes un arma adquiera la habilidad y la voluntad de matar?». Utiliza el ejemplo de Michael Carneal, que robó una pistola del 22 y disparó a ocho estudiantes de un grupo que estaba rezando en un instituto de Paducah (Kentuky), matando a ocho niños de ocho disparos. Hasta los más aguerridos soldados se mostraron asombrados por este «logro», por cómo ese chico había aprendido a matar mejor que muchos profesionales entrenados. En un caso similar, del 26 de abril de 2002, Robert Steinhauser disparó a 13 de sus profesores en el instituto Gutemburg de Erfurt, en Alemania.

Según Grossman, en todo el mundo ha habido un aumento de la violencia desde 1950, si bien este hecho está enmascarado en Occidente porque el índice de homicidios se ha restringido gracias a la existencia de mejores métodos de atención de urgencias. Dentro de los delitos graves, el índice de tentativas de homicidio ha aumentado de 60 por cada 100.000 en 1957, a 440 por 100.000 a mediados de los años 90: es decir, se ha multiplicado por más de siete veces. Después de buscar posibles causas, Grossman identifica el factor común de *la violencia de los medios presentada como un entretenimiento para los niños.*

Como psicólogo militar, Grossman fue solicitado por el ejército de Estados Unidos para que ayudara a entrenar a los soldados para matar, cosa que hizo a base de quitarles inhibiciones, brutalizando a los hombres en campos de duro entrenamiento, condicionándolos con recompensas, ejercitando las reacciones instintivas, así como a través de la repetición, la desensibilización y los modelos a imitar. Pero en su opinión, los niños también estaban siendo entrenados para matar, sólo que sin protección alguna. La American Academy of Pediatrics Task Force on Juvenile Violence halló que «los niños están aprendiendo a matar por el abuso y la violencia que ven en sus casas y, en términos más generales, por la violencia como entretenimiento de la televisión, las películas y los videojuegos interactivos.»[23]

Si los niños son expuestos a la violencia mediática a partir de los 18 meses, la imitarán mientras no estén capacitados para distinguir los hechos de la realidad virtual, como ya hemos discutido con anterioridad. Así pues, cuando los niños pequeños ven violencia en los medios, *es como si estuviera pasando de verdad*. Inevitablemente, algunos niños —sobre todo de entornos familiares conflictivos— serán más propensos a aceptar tal violencia como una tarea de supervivencia en un mundo malvado, como si fueran brutalizados en un campo de entrenamiento.

Grossman cita el *Journal of the American Medical Association (JAMA)* de 1992, que investigaba el impacto de la violencia televisiva. Brandon Centerwell fue un epidemiólogo que investigó el índice de asesinatos para el Centro de Atlanta para el Control de las Enfermedades. Tras comprobar metódicamente factores como el crecimiento económico, el malestar social, la edad, la ingesta de alcohol y la disponibilidad de armas, llegó a la conclusión de que el número de asesinatos se había duplicado como consecuencia de la introducción de la televisión.[24]

Cuando la televisión aparece por primera vez, se produce una inmediata explosión de violencia en los patios de los colegios, y al cabo de 15 años se duplica el número de asesinatos. Ése es el tiempo que tardan los niños de 2 años brutalizados en llegar a la edad del «primer crimen». La *JAMA* informaba de lo siguiente:

«La introducción de la televisión en los años 50 causó la subsiguiente duplicación del índice de homicidios, lo que significa que, a largo plazo, la exposición de la infancia a la televisión es un factor causal que está detrás de aproximadamente la mitad de los homicidios cometidos en Estados Unidos, o de unos 10.000 homicidios al año... Hipotéticamente, si no se hubiera desarrollado la tecnología televisiva, hoy habría 10.000 homicidios menos al año en dicho país, 70.000 violaciones menos y 700.000 agresiones con lesiones menos».[25]

Centerwell y Grossman sostienen que los medios electrónicos han modificado en realidad nuestro umbral de violencia, inmunizando a mucha gente frente a ella, de tal modo que el individuo excepcional que pueda cometer actos violentos cometerá más de uno. Resulta muy relevante el interés de este libro cuando Centerwell opina que una manera de frenar lo que él denomina la «epidemia de violencia» es *quitar los televisores de los dormitorios de los niños*.[26]

Según Grossman, el vínculo entre los medios y los crecientes niveles de violencia en la sociedad es más evidente que el vínculo entre el cáncer de pulmón y fumar. Sus argumentos fueron corroborados por un artículo de investigación publicado en el número de enero de 2002 en la revista *Science*.[27] Grossman destaca una conclusión clave de la investigación: «El reciente artículo de la revista *Science* deja claro que ver cualquier cosa más de una hora al día puede tener un efecto profundamente negativo en la conducta a largo plazo».[28]

Otros métodos para aprender a matar desinhibidamente son el condicionamiento clásico, como por ejemplo mediante una recompensa por una conducta «correcta», y el condicionamiento operante, que implica el aprendizaje del estímulo/respuesta, como por ejemplo cuando un niño juega con un videojuego interactivo de «apunta y dispara». Por último, del mismo modo que en el ejército los soldados emulan los modelos a imitar, así también los medios proporcionan a los niños y los adolescentes modelos violentos para que los copien y para que aspiren a ellos. Ésta es una de las razones por las que ahora no se muestran por televisión las fotos de los asesinos menores, por miedo a que ello desencadene una serie de asesinatos miméticos. Cuando al presidente de la CBS Leslie Moonves le preguntaron si creía que la masacre escolar de Littleton, en Colorado, guardaba relación con los medios, dijo: «Todos los que crean que los medios no tienen nada que ver con ello son idiotas».

Robert Steinhauser, el asesino del instituto Gutemburg, estaba profundamente influido por unos videojuegos violentos que estaban prohibidos en Alemania. A los 19 años fue expulsado del instituto por falsificar justificantes de falta de asistencia a clase. Sus padres no estaban informados; creían que seguía estudiando para los exámenes finales. Tenía pocos amigos y era tranquilo y reservado. Había creado un mundo virtual en su dormitorio, donde la policía halló bandas sonoras como «La vida es una mierda», de Slipknots, y videojuegos violentos que capacitaban al jugador para cometer asesinatos deliberados y a sangre fría. Robert había aprendido a disparar con armas reales en el club de armas local, dirigido por un comisario de policía.

El día de los asesinatos escolares, 2.000 aficionados a los ordenadores iban a jugar con un videojuego que consistía en matar virtualmente llamado *Counter-Strike*, pero al final se desconvocó el evento. Esos juegos habían sido originariamente desarrollados por los militares como juegos de simulación para entrenar a los soldados a matar por reflejo. De ahí que el instituto de Paducah, Kentuky, interpusiera una demanda reclamando 130 millones de dólares contra la compañía de videojuegos, alegando un vínculo entre el juego violento y los asesinatos de Michael Carneal.[29]

El capítulo 7 continúa examinando los impactos cognitivos y de aprendizaje que tiene la omnipresente cultura de la pantalla en los niños.

En resumidas cuentas...

1. La visión del mundo como algo «malvado y conflictivo» transmitida por los medios ha favorecido una cultura de la pantalla en los dormitorios de las casas, con el resultado de lo que la doctora Sonia Livingstone denomina «muchos padres asustados y muchos niños atrapados».

2. Según la revista *Scientific American*, los medios electrónicos son adictivos tanto por el efecto de «desconexión» del CRT, como por la velocidad a la que se presenta el contenido, que capta la atención a base de activar la «respuesta orientativa». Desde una edad muy temprana, los niños impresionables necesitan una protección digna de confianza frente a la «droga de la conexión», como ocurre con otras drogas como el alcohol o el tabaco.

3. Los medios electrónicos pueden entorpecer la creatividad, el juego, la imaginación, la resolución de problemas, las habilidades sociales y el alfabetismo.

4. Los medios electrónicos están perfectamente diseñados para convertir a los niños en consumidores y para comercializar la infancia. La investigación indica que a los niños les resulta difícil, si no imposible, percibir la intención de venta de los anuncios. De ahí que la American Academy of Pediatrics llegue a la conclusión de que la publicidad dirigida a los niños es «inherentemente engañosa y explota a los niños menores de 8 años».

5. El vínculo entre los medios electrónicos y los crecientes niveles de violencia social son más evidentes que los vínculos causales demostrados entre el cáncer de pulmón y fumar. Los videojuegos en los que se trata de matar virtualmente, como *Counter-Strike*, han sido relacionados con los jóvenes trastornados responsables de las masacres escolares.

7. *Peligros sociales II*

Efectos cognitivos y en el aprendizaje

Del mismo modo que en los primeros días se dio mucho bombo a los beneficios de la televisión, así también ahora están siendo promocionados los ordenadores como «muy beneficiosos para la educación». Lo que se alega para introducir esa alta tecnología en los colegios es, en primer lugar, que los ordenadores mejoran considerablemente tanto la enseñanza como el aprendizaje y, en segundo lugar, que hasta los niños pequeños tienen que adquirir rápidamente la capacidad de manejar un ordenador para aumentar sus posibilidades de obtener los mejores empleos en el mundo de mañana.

La idea de que los ordenadores mejoran el aprendizaje en los colegios está basada en anécdotas; pero de acuerdo con Edward Miller, ex editor de la *Harvard Education Letter*, la investigación «es tan deficiente que ni siquiera debería llamarse investigación. Sencillamente no merece la pena».[1] Así por ejemplo, el primer ministro británico Tony Blair quiere que cada niño tenga un ordenador en el pupitre, de tal manera que a la larga los ordenadores acaben por desbancar a los libros de texto.

Esta intención se basaba en que supuestamente se había demostrado que la capacidad de operar con un ordenador ayudaba a los niños de 3 años a reconocer frases sencillas y, por lo tanto, a leer.

Recuadro 16

Los ordenadores en las aulas son «un desperdicio de millones»

Los ordenadores en clase no mejoran el aprendizaje de los alumnos», sugiere un estudio de considerables dimensiones, que ha hallado pruebas de que el dinero derrochado en tecnología informática para los colegios posiblemente haya sido un desperdicio; habría sido mejor gastar el dinero en más profesores. Los investigadores estudiaron uno de los programas informáticos escolares más grandes del mundo... En algunas asignaturas, particularmente en matemáticas, la enseñanza por ordenador parece haber enlentecido el ritmo del aprendizaje. El estudio, publicado por la Royal Economic Society [en el *Economic Journal*]... estaba basado en el rendimiento de unos alumnos de Israel después de que la lotería del Estado invirtiera millones en la informatización escolar en los años 90... El catedrático Angrist, del Instituto de Tecnología de Massachusetts, y el catedrático Lavy, de la Universidad Hebrea de Jerusalén, dijeron lo siguiente: "Este significativo y continuo gasto en tecnología no parece estar justificado por los resultados del rendimiento de los alumnos. El dinero invertido en ordenadores más valdría haberlo gastado en otras cosas."... La informatización costó 60 millones de libras, lo suficiente para pagar a cuatro profesores más durante un año en cada uno de los 905 colegios implicados.

Steve Doughty, corresponsal de asuntos sociales,
Daily Mail, 25 de octubre de 2002, página 29

El segundo argumento de que si los niños no adquieren habilidades informáticas no tendrán acceso a los mejores empleos, es como mínimo hueco. El índice de cambios en la tecnología y en los empleos es de tal calibre, que resulta difícil, cuando no imposible, predecir cómo será el mercado de trabajo incluso de aquí a cinco años. Los empleados, al ser preguntados, dicen que las habilidades informáticas se pueden enseñar en tan sólo unas pocas semanas, y a menudo de forma más sistemática que en los colegios. Lo que quieren los empleadores son jóvenes motivados que sepan aprender y pensar por sí mismos, que sean adaptables, creativos y comunicativos, y que tengan una amplia experiencia vital.

Críticos como Todd Oppenheimer en *The Computer Delusion*, el importante estudio *Fool's Gold* de la Alliance for Childhood, y Alison Armstrong y Charles Casament en *The Child and the Machine*, son, como mínimo, tremendamente escépticos acerca de los beneficios de los medios electrónicos para el aprendizaje infantil, sobre todo para los niños menores de 7 años. Oppenheimer señala que de la Clinton Technology Task Force, compuesta por 36 personas, los que defendían un ordenador en cada clase eran defensores de la tecnología. Dos tercios de ellos trabajaban en los medios de comunicación o en industrias de alta tecnología, y cuando se les preguntó si habían considerado los efectos negativos de los ordenadores en las aulas, dijeron que no había ninguno. Las relativas ventajas de otras intervenciones como clases con menos alumnos, más profesores, más arte, música y lengua, mejor alimentación, más dinero invertido en libros y bibliotecas o mejores edificios escolares, sencillamente no se tuvieron en cuenta.

Los riesgos que tienen los medios electrónicos para la educación y el crecimiento de los niños afectan a lo siguiente:

- Empobrecimiento de la creatividad y del desarrollo intelectual
- Realidad virtual y experiencia real
- Lenguaje y alfabetismo
- Lectura
- Escasa atención y concentración

Consideremos cada uno de estos factores por separado.

Empobrecimiento de la creatividad y del desarrollo intelectual

Los programas de lectura, aparte de que usen un medio electrónico más que un libro o el contacto humano real para enseñar a leer, han sido escasamente examinados. Por ejemplo, un programa de lectura llamado «Reader Rabbit» —el conejo lector—, utilizado en más de 100.000 colegios estadounidenses, dio por resultado un descenso del 50 % en materia de creatividad infantil. Y cuando los alumnos de preescolar usaron el programa durante 7 meses, fueron incapaces de responder a preguntas sencillas y mostraron poca capacidad para tener ideas luminosas y creativas.

El trabajo creativo requiere que los niños sean originales y den vida a las imágenes internas a la hora de soñar y jugar. Como decía Albert Einstein, la imaginación y la experiencia son los cimientos del saber. Si quiere que su hijo sea inteligente, cuéntele historias. En cambio, una «dieta» de imágenes ya confeccionadas de los medios electrónicos dejan poco espacio, si es que dejan alguno, para alimentar la imaginación. Los niños suelen necesitar el estímulo del espacio abierto y del tiempo libre para desarrollar la creatividad y la inventiva. Un experimento de juego alemán realizado con niños probó a quitarles todos los juguetes durante un mes. Después de un primer momento de sentirse perdidos, los niños del parvulario empezaron enseguida a jugar imaginativamente, inventándose toda clase de actividades ingeniosas con cualquier objeto cotidiano que tuvieran a mano.[2]

Realidad virtual y experiencia real

A los niños les encanta aprender de la experiencia directa —aprendizaje empírico— utilizando el sentido del asombro y descubriendo el mundo natural que los rodea. Cuando ven las estrellas, cazan ranas u observan los tejones por la noche, Internet no puede competir con esas experiencias. Clifford Stoll dice que *lo real* ha de venir antes que *lo virtual*: «Prefiero leer una redacción de un niño de sexto de primaria sobre mariposas después de haber contemplado una crisálida monarca en un campo de algodoncillo, que ver un despliegue multimedia que haga referencia a la más reciente investigación entomológica descargada de Internet.»[3]

Lenguaje y alfabetismo

Los medios electrónicos pueden afectar profundamente al lenguaje y al alfabetismo. En una investigación ya mencionada, por ejemplo, la doctora Sally Ward halló que uno de cada cinco niños de preescolar padecía retraso en el desarrollo del lenguaje, debido a que no hablaban con sus padres y al ruido constante del equipo estereofónico y de la televisión (véanse páginas 84-85). En Birmingham se llevó a cabo un proyecto sobre el lenguaje inicial en un barrio degradado para animar a las madres a que hablaran con sus bebés y con los niños que dan sus primeros pasos. Los profesores locales hallaron que el vocabulario de los niños que entraban en preescolar era muy pobre y que además hablaban muy poco.

Varias fueron las causas alegadas para esa pobreza de vocabulario, tales como la sustitución de las casas en hilera por los pisos de los bloques, la desintegración de las familias numerosas, el número de familias monoparentales, el aislamiento de los niños y el hecho de que los padres ya no hablaran ni jugaran tanto con los bebés. De todos modos, la televisión también resultó ser uno de los factores, como se desprende de la investigación de Sally Ward. De acuerdo con la Assistant Mistresses' Association, la televisión también ha empobrecido la transmisión de las canciones infantiles.[4]

Según los profesores de niños, las canciones infantiles son de una importancia vital en el desarrollo del habla, del lenguaje y de la capacidad de cálculo de los niños pequeños. Canciones como *La gallina Turuleta ha puesto un huevo, ha puesto dos, ha puesto tres* enseñan números, palabras y rimas, y también facilitan el perfeccionamiento de la coordinación física. Asimismo, el vocabulario se amplía con canciones como *En la casa de Pepito, ia-ia-o, un señor muy erudito...* Los niños a los que se les enseñan estas canciones familiares pueden conocer hasta 2.000 palabras a los 5 años de edad, y son capaces de comprender los colores, las formas y los números. Sin embargo, muchos niños sólo disponían de un vocabulario de 50 palabras al llegar al colegio, lo que puede atribuirse, al menos en parte, a los efectos de la televisión.

El grupo de trabajo de Assistant Mistresses estaba encabezado por la señora Pierce-Price, que describía las canciones infantiles como un «arte extraño». Según los miembros del grupo de trabajo, aunque las canciones infantiles salen en la televisión, los niños no se las aprenden. Así que pensaron que una de las razones por las que los niños no saben canciones infantiles era porque la televisión es un medio de «ver y olvidar» más que un medio de «ver y *aprender*».

Los niños aprenden a hablar imitando, escuchando y conversando con personas de carne y hueso. Necesitan establecer contacto a través de otros interlocutores con el «don» del lenguaje, con su vida, su sentido y su movimiento. Las voces reproducidas electrónicamente sencillamente no son un sustituto de la conversación real. Los medios electrónicos pueden embotar la capacidad de lenguaje retrasando el desarrollo de las áreas verbales del cerebro... a una edad —o «ventana evolutiva»— crucial para la «sensibilidad al lenguaje».

Nunca nos cansaremos de repetir la importancia del «Mamá, habla conmigo». Al principio, los bebés oyen las conversaciones de su alrededor y entienden mucho de lo que les decimos. Cuando cumplen unos meses, ejercitan sus órganos vocales a través del «balbuceo», y empiezan a imitar palabras, a menudo repitiéndolas una y otra vez. La pantalla, al contrario que un hermano, una hermana o un padre, no espera una respuesta ni tiene una cara sonriente ni da un cálido abrazo.

La imitación, la enumeración y la repetición ayudan al niño que da sus primeros pasos a dominar palabras, frases y significados procedentes de otra gente: la conversación es la condición óptima para el desarrollo lingüístico. Repetir algunas rimas ayuda a la claridad del habla, a afianzar la familiaridad con el lenguaje, y a descubrir lo apasionantes que pueden ser las palabras y el ritmo de las mismas. Un niño que posea una gran riqueza de rimas, canciones y cuentos infantiles tendrá sin duda un buen comienzo en el colegio.

Un terapeuta especializado en el juego que trabajaba en un hospital describía el caso de un chico pequeño que se había criado con una «deficiencia en el habla». Veía mucho la televisión, estaba loco por las armas y tenía un vocabulario limitado. Las palabras que utilizaba con mayor frecuencia eran «bang, bang», y el chico padecía múltiples dificultades de lenguaje. La terapia y ver menos la televisión dieron por resultado inmediatas mejoras en el habla.

Por lo tanto, un factor clave para el desarrollo del lenguaje en casa y en el colegio es hasta qué punto escucha el niño conversaciones y tiene interrelaciones humanas reales. El único factor constante que capacita a los niños para hablar bien es la conversación afectuosa con interlocutores más capacitados, y no los medios electrónicos. Cuando los niños entran en el colegio o en el parvulario a los 4 o 5 años de edad, su lenguaje necesita ser estimulado con el fin de que adquieran riqueza y fluidez. De ahí que la conversación cara a cara sea la mejor manera de desarrollar el lenguaje, mucho más que los programas interactivos. No hay que olvidar que los lectores seguros de sí mismos suelen ser, antes que nada, buenos narradores.

Lectura

Cuando fui a visitar una clase de niños de 8 años en un colegio local, el profesor me señaló a algunos «lectores perezosos». Sabían leer perfectamente bien, pero o no estaban lo suficientemente interesados por leer o les resultaba difícil «entrar» en lo que leían. A esos lectores perezosos les resultaba difícil mantener la necesaria concentración, prestar atención y hacer el esfuerzo. Además, el profesor creía que la comprensión de lo que estaban leyendo era más bien vaga. Significativamente, atribuía esto a una «dieta» de medios electrónicos en casa y a la falta de «hábito de lectura» doméstico. Algunos niños no televidentes de la clase leían regularmente en casa, y en el colegio iban francamente bien.

En Gran Bretaña, desde los años 80, el 16% de los chicos y las chicas de 11 años no saben leer ni escribir, y el 10% de los de 16 años. Los profesores están desconcertados, y los expertos no se ponen de acuerdo acerca de las causas, pero las encuestas populares muestran que los chicos están volviendo la espalda a los libros y cambiándolos por la televisión y los videojuegos, que les parecen más interesantes e interactivos que los libros, que son «aburridos». Es posible que el auge de los videojuegos desde finales de los 80 haya estado más orientado a los chicos, y que la lectura se considere un pasatiempo más femenino.

El alfabetismo —leer y escribir— es esencial para nuestra sociedad. Los analfabetos se sienten intrusos o incluso estigmatizados. De ahí que leer y escribir sean habilidades vitales, aunque a veces uno pueda sentirse un poco anticuado por tener que defender el alfabetismo en plena era electrónica.

Ahora vivimos en una «era electrónica» en la que las imágenes están desplazando a la letra escrita. Hasta la era de la imprenta, la mayor parte de las culturas eran orales. Cuando estuve haciendo una investigación social en las Faroes, me topé con una rica tradición oral entre sus habitantes. Durante las fiestas solían recitar hasta altas horas de la mañana sagas, historias, baladas y mitos antiguos de sus ancestros. En el pasado, los niños de esas culturas accedían al mundo imaginativo a base de escuchar, aprender y recitar los viejos cuentos y sagas.

Los vestigios de la tradición oral sobrevivieron para los niños en la era de la imprenta. Se les contaban cuentos antes de irse a la cama; los niños aprendían canciones y juegos infantiles explorando el mundo de la imaginación, del lenguaje, la poesía y la música a través de los adultos. Los profesores consideraban el cultivo de esa rica cultura oral como una sólida preparación preescolar para el alfabetismo. De hecho, en la educación de los parvularios centroeuropeos, como por ejemplo en el movimiento escolar Steiner (Waldorf), el objetivo era desarrollar y enriquecer el juego y las aptitudes sociales y lingüísticas como preparación para el colegio propiamente dicho, que no empezaba hasta los 7 años.

Ahora sin embargo, los medios electrónicos tienen mucha influencia en la cultura preescolar de los niños, ya sea en forma de un vídeo a la hora de acostarse o de videojuegos. Por desgracia, ahora la lectura de libros ha sido desplazada como pasatiempo número uno de los niños en edad escolar.

En su fuero interno, mucha gente cree que leer es «mejor» para los niños que ver los medios electrónicos. Resulta instructivo comparar la naturaleza de los dos medios. Leer requiere concentración, enfoque, pensamiento, imaginación y la habilidad de tener una «visión interna», de visualizar. La televisión en cambio requiere poca concentración, desenfoca la mente, paraliza la capacidad para visualizar sustituyéndola por las imágenes electrónicamente producidas, y fomenta la pasividad de los cerebros (véase capítulo 4). Un lector puede variar de ritmo en la lectura, o incluso dejarla un rato si le requiere demasiado esfuerzo, mientras que la pantalla del CRT controla el ritmo y fuerza al cerebro a prestar atención, haciendo que los niños tengan dificultades para apagarla, como ya se ha discutido con anterioridad. El lector manda sobre el libro, mientras que la televisión o el videojuego normalmente dominan a quien los utiliza. Leer un libro le permite a uno crear a su propio ritmo sus propias y únicas imágenes de los sucesos y de los personajes, y estimula la comprensión. La televisión transmite la misma interpretación de una novela como *El jardín secreto* a millones de televidentes. Es más, los niños que leen saben también escribir y, por consiguiente, entender el medio que usan, mientras que ver la televisión no requiere ninguna habilidad.

Las investigaciones acerca de los dibujos de las ondas cerebrales corroboran las diferencias mencionadas anteriormente entre la televisión y la letra escrita. Al comprobar las respuestas eléctricas del cerebro a la letra impresa y a la televisión, se obtuvo «una imagen de atención relajada, interés y actividad mental» en respuesta a la lectura. La respuesta a la televisión fue un estado de somnolencia y letargo, con signos de aburrimiento, en el que aparecían muchas ondas alfa: los que ven la televisión tienden a sucumbir a las ondas alfa como si estuvieran mirando un campo visual blanco y liso.

La investigación fue confirmada por el psicofisiólogo Thomas Mulholland y por Peter Crown, catedrático de televisión y psicología en el Hampshire College, de Massachussets, que conectaron electrodos a la cabeza de adultos y niños televidentes. De antemano, los investigadores creían que los niños que estaban viendo programas emocionantes presentarían patrones de prestación de mucha atención. Pero se sorprendieron mucho al ver que los resultados mostraban precisamente lo contrario. Los televidentes presentaban muchísimas ondas alfa que indicaban pasividad, igual que si estuvieran «sentados tranquilamente en la oscuridad».

En suma: cuando uno lee un libro, está atento, consciente de su conciencia, controlando la velocidad a la que lee y activamente involucrado en recrear la historia. Cuando uno ve la televisión, está distraído, apenas consciente, dominado por la pantalla y recibiendo las imágenes de manera pasiva y automática. La deducción del trabajo de Mulholland no es sólo que la televisión sea un curso de entrenamiento para la falta de atención, sino también que mientras la vemos el individuo, el «yo», apenas está presente como centro activo de los propios pensamientos, sentimientos y acciones. Uno está «desconectado» de la propia mente, y la conciencia de uno mismo está temporalmente ausente, dejando que la televisión imprima subconscientemente sus imágenes en una mente y un organismo abiertos.

Por eso ver la televisión es una experiencia totalmente diferente a leer: la televisión ejercita breves espacios de atención, mientras que la lectura requiere espacios prolongados de atención; y los libros están escritos para mantener la atención de los niños, no para atraerla e interrumpirla constantemente. La televisión está llena de imágenes y acción de ritmo rápido; leer implica pensar, reflexionar y avanzar al ritmo de cada uno. Uno puede dejar un rato un libro y volverlo a coger más tarde.

Los niños pequeños suelen mirar los libros mientras los adultos u otros niños se los leen. Los libros son *una experiencia social*: se puede hablar de ellos y compartirlos a la hora de acostarse. La televisión para niños pequeños suele ser una experiencia *antisocial*: la conversación es limitada y a veces los niños la ven solos sin hablar con nadie. La televisión además da respuestas todo el tiempo, mientras que los niños como mejor aprenden es haciendo preguntas.

Dado que muchos padres me han preguntado durante algunas discusiones por el momento apropiado para que los niños empiecen a ver la televisión, a menudo les sugiero que *después* de que hayan aprendido a disfrutar leyendo. Hasta que el hábito de la lectura esté firmemente arraigado, es decir, entre los 7 y los 9 años de edad, ver la televisión puede empobrecer la habilidad y el placer de la lectura. Esta postura está respaldada por un descubrimiento de Jerome y Dorothy Singer, de la universidad de Yale: que los poco televidentes aprenden a leer más fácilmente que los muy televidentes.

El estudio de Tannis Macbeth Williams sobre Notel, Canadá, halló que los niños de segundo de primaria (de 8 años) obtenían una puntuación superior en un test de fluidez en la lectura que los de segundo de primaria de Unitel o Multitel, donde sí había televisión. Cuatro años más tarde, cuando ya disponían de televisión en Notel, desaparecía la diferencia de fluidez en la lectura. Williams sostenía que una explicación era que ver la televisión retrasa la habilidad para la lectura porque los niños pierden un tiempo que, de otra manera, emplearían en leer libros.

Escasa atención y concentración

El aumento de varios tipos de problemas de atención entre los niños desde principios de los años cincuenta ha sido parcialmente vinculado con factores como el estilo de vida sedentario, las casas ruidosas —que provocan que los niños «desconecten»—, la comida basura, la falta de atención por parte de los adultos y el constante ruido de fondo de los medios electrónicos desde una edad temprana.

El éxito escolar requiere que los niños se concentren, atiendan, escuchen, recuerden y perseveren en las actividades durante un tiempo razonable. De ahí que los niños a los que les cuesta trabajo prestar atención encuentren el colegio difícil y puedan reaccionar volviéndose destructivos. Una de las causas del déficit de atención y de la hiperactividad es que los niños van en busca de una constante estimulación de una manera inquieta y crónica. Cuando esos niños entran en un ambiente escolar mucho más pausado, experimentan una falta de estimulación y sufren síntomas de abstinencia. La exposición excesiva al acelerado mundo electrónico durante los primeros años del desarrollo infantil lleva a una adicción sensorial que el marco escolar pausado no puede satisfacer.

Curiosamente, las familias con un ritmo de vida diario irregular, así como el cuidado apresurado de los hijos y ver mucho la televisión han sido identificados como implicados en los trastornos de atención. Entonces los niños se vuelcan más en los medios electrónicos, y los hijos de padres muy televidentes tienen más probabilidades de padecer dificultades debidas al déficit de atención.[6]

Aunque puede haber un pequeño porcentaje de niños cuyos problemas de atención sean genuinamente psicológicos, millones de niños americanos han respondido bien al fármaco Ritalin, que los calma pero que tiene efectos secundarios poco saludables. El psicólogo infantil John Rosemond también cree que los medios electrónicos son como «velocidad para niños». «El Ritalin puede funcionar temporalmente, pero la intervención farmacéutica no va a cambiar los problemas conductivos y motivacionales.» Después de todo, los niños con problemas de déficit de atención «sólo pueden quedarse sentados tranquilamente viendo programas de televisión». Rosemond empezó por preguntarse qué podía influir en su casa en los síntomas de falta de atención de su hijo. Cuando se deshicieron del televisor, observó que la conducta de su hijo mejoró en el plazo de 6 semanas. Sin embargo, tal vez previsiblemente, esa sencilla solución sin medicación le trajo a Rosemond problemas con los padres que creían que su vida familiar se vería amenazada si no recurrían al Ritalin.[7]

Así, en lugar de abordar la principal causa de las dificultades de atención —un estilo de vida ajetreado y una excesiva estimulación—, el problema queda reducido a un fármaco. Entonces, a los niños que se han esforzado por adaptarse a un mundo sobreestimulado y que se han vuelto adictos a los altos niveles de sobrecarga sensorial, se les da otro fármaco que puede agravar aún más sus dificultades.[8]

A los colegios se les ha metido mucha prisa para que adopten cada vez más tecnología informática y programas de aprendizaje. Un ordenador es ahora obligatorio en las clases de niños británicos y en el Plan de Estudios Nacional. Sin embargo, una mayor exposición a los programas electrónicos en los colegios puede simplemente agravar y exacerbar los trastornos de atención, desplazando por ejemplo la actividad de aprender a leer con un libro *real* y una persona *real*.

Lo peor que pueden hacer los profesores o los padres es darles a los niños hiperactivos videojuegos o programas informáticos educativos. Lo que necesitan es un ambiente más pausado y más estructurado que los involucre y los enriquezca.

Otro efecto es que la educación tiende a convertirse en una especie de «entretenimiento pedagógico»: una diversión con una gratificación instantánea. El aprendizaje saludable requiere retos, paciencia y disciplina, así como una coherencia entre el método y su aplicación. Jane Healy considera que los programas educativos informáticos ofrecen un «"aprendizaje" bañado en azúcar electrónico que puede quitarles a los niños el apetito para el plato principal».[9] Convirtiendo el aprendizaje en un juego fácil se corre el peligro de escamotear a los niños «la satisfacción del dominio personal».[10]

Conclusión: «Poner en marcha» a los niños con «demasiadas cosas, demasiado pronto»

Los niños se toman su tiempo para crecer y convertirse así en plenos y sanos adultos. Una infancia rica proporciona unos cimientos positivos para la vida. Sin embargo, si se fuerza la velocidad del crecimiento, entonces «maduran pronto y se pudren pronto». Una cultura familiar acelerada de «demasiadas cosas demasiado pronto» puede venirle bien a la agenda de los adultos y aliviar las angustias a corto plazo, pero deja a los niños sin infancia. Los niños pueden ser muy adaptables, desde luego, pero todo tiene su límite. Uno de esos límites es la tecnología del CRT/VDT, a la que cuesta trabajo adaptarse: los cerebros de los niños sencillamente no se adaptan bien a ella. Se trata de un medio poderoso y estimulante. Y, como hemos visto, el contenido de los programas y de los videojuegos está diseñado para atraer la atención.

Sin embargo, pese a los peligros de «demasiadas cosas demasiado pronto», algunos padres y la industria del software aspiran incluso a «poner en marcha» a los bebés con programas informáticos. Jump Start Baby, conocido en Inglaterra como Jump Ahead, ofrece juegos de apuntar y hacer «clic» para nombrar las partes del cuerpo y las prendas de ropa y para actividades del tipo «cucu-trastras». A los niños parece que se les trata como si fueran máquinas o biocomputadoras que necesitan «ponerse en marcha». Pero como atestiguan numerosas pruebas de las investigaciones, ese «arranque» puede dañar los cerebros de los niños, tal como ya hemos visto.

La investigación de los psicólogos acerca del desarrollo infantil nos sorprende continuamente con nueva información sobre cómo aprenden los niños en los primeros años. Jane Healy, por ejemplo, ha sostenido concluyentemente que los medios electrónicos pueden ser peligrosos para los cerebros y para el aprendizaje de los niños pequeños.[11] La doctora Sally Goddard Blythe ha observado convincentemente que cantar y la música contribuyen al desarrollo de los niños, y lo ha hecho después de observar qué buen promedio tenían los alumnos que estudiaban en las escuelas primarias británicas para niños cantores, dependientes de la catedral.[12] Estos investigadores han hallado que el movimiento puede estimular el potencial de aprendizaje de los niños. La investigación de Sally Jenkinson muestra también de modo convincente que el juego inventivo prepara a los niños para realizar un trabajo creativo e imaginativo en su vida adulta.[13]

Esta investigación refleja la práctica que se sigue en algunos colegios, como en los parvularios Rudolf Steiner (Waldorf), donde los educadores intentan ayudar a los niños a estudiar lo apropiado en el momento oportuno de su desarrollo, es decir, cuando están preparados, sin imponerles la ideología acrítica de «demasiadas cosas demasiado pronto». Así, por ejemplo, hasta los 7 años los niños aprenden a jugar, a moverse, a adquirir habilidades sociales, a escuchar, a desarrollar el lenguaje, a experimentar el mundo a través de una rica «dieta» sensorial y a involucrarse en simples tareas artesanales como hacer pan. De este modo, quedan asentados los cimientos para el aprendizaje cognitivo a los 7 o más años, cuando los niños están preparados —desde el punto de vista del desarrollo— para la escolarización convencional.

Concluyamos con la grave manifestación de preocupación de Jane Healy sobre cómo los medios electrónicos pueden ser peligrosos para los cerebros y el aprendizaje de los niños; sus argumentos sin duda actuarán como una llamada de atención para todos los educadores y los que hacen los planes de estudio:

«La investigación indica claramente que la televisión tiene potencial para afectar tanto al propio cerebro como a las habilidades de aprendizaje relacionadas con él. La capacidad para mantener la atención de forma independiente, abordar problemas activamente, escuchar de manera inteligente, leer comprendiendo y usar el lenguaje con efectividad, puede estar particularmente en peligro. Nadie sabe cuánta exposición a los medios hace falta para que se note la diferencia. Asimismo, tampoco hay información disponible sobre los efectos globales que produce en la inteligencia pasar mucho tiempo haciendo ejercicio físico, jugando en sociedad o de forma independiente, leyendo, manteniendo una conversación o dejando vagar la imaginación».[14]

En resumidas cuentas...

1. Los niños se toman su tiempo para desarrollarse, y los psicólogos especialistas en el desarrollo advierten contra los riesgos de «poner en marcha» a la infancia con los medios electrónicos. Otras actividades como el juego, la música, el arte y los cuentos hacen mucho más por el aprendizaje y el desarrollo de los niños.

2. Las reivindicaciones de los supuestos beneficios educativos de los medios electrónicos para los niños pequeños necesitan ser sometidas a un examen muy minucioso. Con demasiada frecuencia, existe una notable falta de investigación válida que apoye tales reivindicaciones, así como un miedo infundado a que «sus hijos se queden atrás en el mercado de trabajo si no logran adquirir las habilidades de la tecnología informática a los 6 años de edad».

8. La cultura de la pantalla en el crecimiento de los niños

¿Cuándo pueden empezar?

La cantidad de información disponible que hemos revisado en capítulos anteriores apunta a la convincente conclusión de que los efectos negativos de los medios electrónicos en los niños pequeños sobrepasan substancialmente a los efectos positivos. Diseñada para captar y mantener la atención de los niños, la pantalla del CRT es una poderosa droga electrónica de la que a muchos adultos, y no digamos ya a los niños, les cuesta desengancharse.

Hoy en día, las familias se enfrentan a una sociedad más acelerada que nunca y orientada hacia la electrónica, que está teniendo una profunda influencia en la generación «punto com». Millones de niños de Estados Unidos y de Gran Bretaña están siendo diagnosticados de «trastorno de hiperactividad con déficit de atención» (THDA), y recientemente se ha observado la aparición de los denominados «niños explosivos», es decir, con una tolerancia a la frustración muy baja. Cada vez hay más adultos que padecen enfermedades relacionadas con el estrés, como el recientemente llamado «estrés del despacho, carretera y avión».

Hasta ahora, comprensiblemente, muchos de nosotros hemos dado la bienvenida a las nuevas tecnologías electrónicas. Hemos respondido positivamente usándolas lo mejor posible en nuestro trabajo y en el entorno familiar. Sin embargo, dadas las poderosas pruebas de la investigación sobre los omnipresentes e inquietantes efectos negativos de la cultura de la pantalla en el crecimiento y el desarrollo de los niños, tenemos que afrontar algunas cuestiones fundamentales:

- ¿Cómo podemos usar constructivamente la televisión y el ordenador en nuestras familias, sin que nos superen y dominen nuestras vidas?
- ¿Queremos desacelerar el ritmo de nuestra vida familiar poniendo límites?
- ¿Qué es sano para nuestros hijos que empiezan a ver la televisión y durante cuánto tiempo pueden verla?

Esta última cuestión «se aproxima a veces subrepticiamente» a los padres. Los de una familia acabaron tan hartos de que sus hijos vieran excesivamente la televisión, que se desprendieron de los aparatos, y ahora es una familia de ávidos lectores. Tuvieron síntomas de abstinencia: una hija, por ejemplo, amenazó con demandar a sus padres por crueldad con los niños.

Entonces, ¿cómo pueden los padres usar consciente y responsablemente los medios? En mi experiencia como padre, lo que más puede ayudarnos es plantearnos la siguiente pregunta: «¿Cómo de sanos son los medios electrónicos para mi hijo y para mí mismo?». Luego, para poder responder a esta pregunta, observe a su hijo viendo la televisión, jugando con los videojuegos o usando el ordenador, y pregúntese a sí mismo si le gusta lo que ve. Observe a su hijo jugando, dibujando o trepando por los árboles y pregúntese qué prefiere. También merece la pena recordar que nadie que tenga hijos mayorcitos ha dicho nunca: «¡Ojalá hubiera pasado más tiempo viendo la televisión con mis niños!».

¿Qué es sano para nuestros hijos que empiezan a ver la televisión?

«Mis hijos pueden empezar por ver uno o dos programas especialmente seleccionados a la semana y usar el ordenador cuando aprendan a leer y disfrutar de los libros, a mantener una conversación y a ocuparse felizmente de sí mismos, por ejemplo, jugando solos o con otros niños», fue la respuesta de un padre a esta pregunta. Otros padres están deseando saber lo que piensan los profesionales en el cuidado de los niños antes de tomar una decisión.

Ahora los médicos norteamericanos están tan preocupados por los efectos de los medios electrónicos, que están trazando líneas directrices para ayudar a que los padres decidan. La American Academy of Pediatrics (AAP) recomienda ahora que los niños menores de 2 años no vean nunca la televisión, y que a los mayorcitos se les quiten los televisores de sus dormitorios, de modo que sólo puedan ver la televisión en un espacio social como el cuarto de estar. La AAP recomienda además que los padres de niños pequeños jueguen con ellos, en lugar de exponerlos a los peligros de la televisión. Jugar, hacer rompecabezas, revolver la tierra: éstas y otras actividades son mucho más sanas para el desarrollo del cerebro y para ejercitar las habilidades sociales, emocionales y cognitivas, en opinión de los médicos.

Las habitaciones de los niños deberían ser refugios donde jugar, relajarse, leer y «desconectar», sin pantalla alguna. Los padres tampoco deberían utilizar la televisión como un canguro electrónico. Como ya hemos visto, esa manera de ver la televisión es mala para la salud de los niños y puede atrofiarles el cerebro y el cuerpo, que están en pleno desarrollo. De hecho, los médicos recomiendan que los padres lleven un diario del tiempo que pueden ver sus hijos la televisión y que los vigilen para luego poder informar a los médicos.

Los pediatras británicos han aprobado sinceramente el consejo de la AAP. El doctor Harvey Marcovitch, del Royal College of Paediatrics and Child Health, dijo lo siguiente:

«No puedo estar más de acuerdo. Me suena a música celestial... Todos mis instintos me dicen que tienen razón... Los niños pequeños se benefician enormemente de interactuar con un adulto. Casi todos los programas son inapropiados para niños pequeños; sencillamente no pueden asimilar lo que está pasando. Si usted habla con un niño pequeño, responderá indecisamente porque la formulación de sus pensamientos es lenta. Casi todos los dibujos animados retratan un patrón de conducta de hiperactividad, que es algo que les preocupa a los padres en sus propios hijos. Las escenas cambian a toda velocidad; aunque un adulto no tiene problemas para entender lo que está pasando, no hay manera de que un niño pequeño lo averigüe. Ellos lo que ven es una especie de luces estroboscópicas.»[1]

El incipiente consenso entre los educadores, los médicos y los profesionales en el cuidado de los niños de Norteamérica se opone firmemente a que los niños usen los medios electrónicos a una edad temprana. Así por ejemplo, la anual *TV-Turnoff Week* de la última semana de abril fue ampliamente respaldada por la Surgeon General, la American Medical Association, la American Federation of Teachers, la National Association for the Education of Young Children, la National Association of Elementary Schools, la American Psychiatric Association, la Association of Library Service to Children y la National Parenting Association, por nombrar sólo unas pocas.

El teniente coronel Dave Grossman es un padre que crió a sus hijos sin televisión en los primeros años, y como experto en los efectos que tiene la violencia de la pantalla en la conducta, está deseando que eso beneficie también a sus nietos:

«Creo que en un mundo ideal los niños deberían mantenerse a distancia del televisor hasta que supieran distinguir la diferencia que hay entre la fantasía y la realidad, es decir, aproximadamente hasta los 7 u 8 años. Lo creo tan firmemente, que estoy pagando (¿sobornando?) a mis hijos 1.000 dólares al año con vistas a costear la universidad de mis nietos, por cada año que prometan criarlos sin televisión hasta que cumplan 7 u 8 años».[2]

Sin embargo, los padres se ven obligados a ir a contracorriente de la moderna cultura tecnológica cuando limitan el tiempo que sus hijos ven la televisión. El editorial de *The Times* que acompaña a las noticias sobre la American Academy of Pediatrics es sumamente revelador. En él podemos leer que la prohibición de ver la televisión a los niños menores de 2 años, y el hecho de sacar los televisores de las habitaciones de los niños mayorcitos,

«... representa el desafío más grave al modo de vida occidental desde que la Coca-Cola intentó cambiar su fórmula secreta... Si la televisión es la pócima milagrosa que mantiene a todos felices en un país de ensueño, sobre todo a las 6.30 de la mañana, entonces, con todos sus defectos, es una bendición. Ahora los pequeños pueden apretar el botón mágico a las 5.45 de la mañana y cambiar de un canal a otro durante el resto del día hasta saciar toda su codicia».[3]

Al mismo tiempo, las compañías de los medios electrónicos, como Disney, están eligiendo como blanco a niños cada vez más pequeños y ofreciendo juegos educativos para bebés de tan sólo 9 meses. Los de 2 años pueden aprender con Winnie the Pooh, y los de 4 años se preparan para el colegio con Mickey Mouse. Matt Carroll, de UK Disney Interactive, no ve ninguna razón para que los bebés de 9 meses no se sienten enfrente de la pantalla de un ordenador a practicar un poco de juego interactivo. El propio Carroll utiliza los videojuegos como una recompensa para sus hijos de 2 y de 4 años, de manera que ¡tienen que ser buenos![4]

Pese a la percepción de que en Gran Bretaña la televisión no es tan mala para los niños como en Estados Unidos, hay algunas voces aisladas en Inglaterra que adoptan una postura firme. La doctora Sally Ward es la terapeuta del habla que descubrió que la televisión es un factor importante en el retraso del desarrollo lingüístico infantil en uno de cada cinco niños. Según ella, los bebés menores de un año no deberían verla nunca porque no aprenden nada de ella. El ruido de fondo procedente de la televisión les retrasa el aprendizaje y la capacidad de escuchar, que debería ser algo natural, de tal modo que con 8 meses muchos bebés no son capaces de reconocer palabras tan comunes como «zumo» o «ladrillos», y ni siquiera saben su propio nombre. Los niños de edades comprendidas entre los 2 y los 3 años no deberían ver la televisión, si acaso, más de una hora al día, ya que verla les impide aprender a conversar y a hablar por turnos. Los niños atrapados por los colores y el destello de las luces dejan de interesarse por el juego y los juguetes y acaban teniendo tal retraso en el desarrollo del lenguaje, que «es muy probable que sufran un fracaso escolar». De ahí se deduce con claridad que los padres tienen que dejar de usar la televisión como un canguro, apagar el televisor y hablar y jugar con sus hijos.[5]

Mientras tanto, el gobierno británico está muy entusiasmado con enseñar a leer y escribir a través de los medios electrónicos y con acostumbrar a los niños a los ordenadores en preescolar y en parvulario, antes de entrar en la escuela primaria. Un ejemplo de niños pequeños que adquieren desde muy temprano los rudimentos de la tecnología informática puede verse en Technotots, un colegio de preescolar en Dundee. Technotots combina el cuidado de los niños de preescolar con el aprendizaje de las habilidades informáticas básicas, los juguetes electrónicos y los programas informáticos educativos, así como un acceso seguro a la web-cam para los padres. El Plan de Estudios Nacional de Gran Bretaña prescribe un ordenador en cada clase de preescolar.

Sin embargo, otros profesores de algunos parvularios y colegios se muestran en completo desacuerdo con tales planteamientos. Mientras que la mayoría de los profesores dejan los medios electrónicos donde están, algunos colegios como el Rudolf Steiner (Waldorf) se oponen a que los niños los vean en casa y no tienen televisión u ordenadores ni en los parvularios ni en las clases de primaria. Los profesores intentan discutir discretamente con los padres de los niños pequeños sobre cómo hacer el mejor uso de la educación creativa que ellos ofrecen, de modo que los padres estén informados acerca de la importancia del asunto y dispongan de razones claras y fundamentales para limitar el acceso de sus hijos a los medios electrónicos.

Lo siguiente es la circular que el colegio St Paul, en Islington, Londres, da a los padres cuando matriculan a sus hijos:

Televisión

La televisión invade nuestra cultura; es algo que se da tan por sentado que a menudo nos resulta difícil cuestionar su valor. De manera similar, con la creciente importancia del cine, del ordenador personal y de los videojuegos y con su introducción en la vida diaria, rara vez se oye una voz disidente. Sin embargo, muchos de los implicados en la educación Steiner, así como los investigadores de Estados Unidos (véase Bibliografía) sostienen que ver la televisión y los vídeos y jugar con videojuegos es perjudicial para el sano desarrollo del niño. Nuestras razones son las siguientes:

I.   Todos los niños tienen una capacidad imaginativa innata y su estado natural es practicarla activamente. Éste es uno de los grandes dones de la infancia y resulta crucial para que los niños lleguen sanos a la edad adulta, en que adquieren otras facultades. Mientras crecen tienen una capacidad que normalmente se pierde o se transforma y que nunca se revive de la misma forma. La televisión, los vídeos y/o los ordenadores vuelven a los niños enfermizamente «inmóviles» y les paralizan la imaginación. Al presentarles imágenes «prefabricadas», se les pide que no hagan ningún trabajo interno (o juego activo) y que su imaginación quede «discapacitada». A largo plazo, esto puede derivar en apatía, falta de iniciativa y aburrimiento; entonces puede ocurrir que los niños necesiten ser entretenidos constantemente. Otra alternativa es que los niños acaben excesivamente estimulados, hasta tal punto que dejen de saber escuchar como es debido a las personas reales, y que conecten o desconecten cuando les venga en gana. Consideramos que ese tipo de estimulación en realidad es una privación de las numerosas habilidades creativas del niño.

II.   A través de nuestra educación, fomentamos la capacidad natural de los niños para ser sumamente sensibles a su entorno y a las personas que los rodean. De ahí que sean muy susceptibles de quedar hipnotizados, pues no saben filtrar la absorción de las cosas que ven y oyen. Tanto en el parvulario como en el colegio procuramos presentar el material de una manera apropiada a su edad y a su sensibilidad. En contraste, frecuentemente, la calidad del material infantil de la televisión, los vídeos y los ordenadores es muy pobre. Éstos imponen al niño imágenes y ruidos de todo tipo que son, desde nuestro punto de vista, inapropiados; al reducirse, por así decirlo, su umbral para la violencia, el ruido, la estética y la conducta moral y social, los niños pueden desensibilizarse. Los niños pequeños no tienen la perspicacia para regular lo que ven. Tampoco son capaces de saber lo que es bueno para ellos y lo que no lo es, y dependen de los adultos que los rodean para que éstos decidan los límites que han de protegerlos (en todas las áreas de la vida, no sólo en ésta) hasta que aprenden a cuidar solos de sí mismos.

III.   Por otra parte, las imágenes que despide la pantalla no están conectadas con la vida real: son una representación artificial de la vida y, como tal, abstractas. Uno no puede relacionarse con la televisión. Por contraste, en una escuela Steiner los profesores no utilizan libros de texto, sino que procuran presentar las historias y el contenido de las lecciones a partir de la memoria, de modo que el intercambio comunicativo sea vivo y real. Los niños viven intensamente el presente, y para estar sanos necesitan sentirse profundamente conectados con el mundo que los rodea. No tienen la sofisticación intelectual necesaria para afrontar saludablemente este fenómeno abstracto. La televisión y similares literalmente deshacen el trabajo que nosotros hacemos en el colegio.

Desde una perspectiva ideal, nos gustaría que todos los televisores cogieran polvo bajo un paño, dentro del armario, o que los padres se deshicieran de ellos por completo. No obstante, reconociendo que eso es bastante improbable, pedimos que los niños que asisten al St Paul no vean la televisión de domingo a martes, y desde luego, que no la vean por las mañanas antes de venir al colegio.

Si su hijo está acostumbrado a una fuerte «dieta» de televisión, no se desespere. Cambiar su rutina familiar puede ser más fácil de lo que parece. Muchos de nosotros hemos descubierto que los ex adictos a la televisión han hallado numerosas cosas positivas que hacer en la atmósfera creativa y en el apoyo que da la comunidad de un colegio Steiner.

Aunque los profesores del colegio St Paul tienen muy claro por qué invitan a los padres a que limiten el tiempo de ver la televisión de sus hijos en casa, también les preocupa ser abiertos y dar información de modo que los padres puedan tomar sus propias decisiones. La administradora del colegio, Jane Gerhard, dice lo siguiente: «Básicamente, hablamos de ello con seriedad en las reuniones de padres a las que éstos tienen que asistir antes de que su hijo sea admitido, y luego lo planteamos de nuevo en una entrevista. También hay un artículo sobre los medios electrónicos en el "manual" para padres» (véase más arriba).

Jane continúa:

«Al adoptar una actitud firme hemos provocado que los padres nos mientan y les digan a sus hijos que no hablen sobre lo que han visto. Ésa no es una relación productiva. ¿Qué podemos hacer? ¿Expulsar al niño? ¿Echar una bronca a los padres y actuar como policías morales?

»Hace poco he tenido la experiencia de una mamá joven, que era una aprendiz de asistente social cuando la entrevisté y que ahora ya está cualificada:

»"Mira, Jane, cuando me hablaste sobre la televisión en la entrevista que tuvimos hace 3 años, decidí hacer yo misma la prueba. Pues bien, quiero que sepas que tenías razón. Anoche, antes de que Cameron se quedara dormido, oí que estaba cantando todas las canciones francesas y alemanas que había aprendido en primer curso. Entonces fue cuando me di cuenta de que si hubiera estado antes viendo la televisión, no habría hecho eso. Muchas gracias."»

Conclusión: cuanto más tarde utilicen los niños los medios electrónicos, mejor

Dorothy Cohen, una respetada educadora americana, fue una de las primeras defensoras de restringir el uso de la televisión:

«El impacto de la televisión en los, así llamados, niños discapacitados ha sido mínimo en términos de objetivos tales como aprender a leer; en cambio, el impacto en su desarrollo ha sido enorme. Les ha arrebatado sus oportunidades normales de hablar, jugar y *hacer*. Les ha impedido crecer con normalidad. Para mí lo más importante es proteger a los niños durante el período de mayor vulnerabilidad de sus vidas. Creo que los niños menores de cinco años no deberían ver nunca la televisión».[6]

Joan Almon, coordinadora americana de la Alliance for Childhood, cuenta la historia de dos chicas que estaban comparando sus respetivas muñecas. La muñeca de una de ellas llevaba incorporado un mecanismo electrónico, y ella se jactaba diciendo: «Mi muñeca sabe decir 500 palabras». La otra chica, que tenía una muñeca de trapo raída, le replicó: «Pues mi muñeca sabe decir todo lo que yo quiero que diga».

En el transcurso de la revisión global de los efectos de los medios electrónicos en los niños pequeños quedó claro que los que protegen los intereses de tales medios han olvidado —o ignorado— las necesidades básicas del desarrollo de los niños. El cuidado de los hijos se convierte en desarrollo productivo, y los niños son los productos. Uno de esos «niños producto» es Lily, de 6 años, que observa precozmente lo siguiente:

«Britney es un modelo a imitar. Va a la última moda y hace unos movimientos que me encantan. Mi mamá no me deja ponerme lo que quiero porque es una mandona. A mí me gustan las camisetas cortas. Son unas camisetas normales, sólo que enseñas la tripa. Me encantaría ser una adolescente. Ahora mismo. Las adolescentes se visten genial; por eso les gustan a los chicos. Lo he visto en una película. Se visten tan de moda como una muñeca, o algo parecido. Yo quiero salir en la televisión para que todos vean mi cara bonita y todo mi cuerpo. Me encantan las chicas que se contonean. Y a los chicos se les cae la baba».

La doctora Jane Healy es una psicóloga especialista en educación con más de 30 años de experiencia como educadora, investigadora y madre. Sus dos innovadores libros, *Endangered Minds* (1990) y *Failure to Connect* (1998), ofrecen un análisis exhaustivo de los efectos que produce en los niños el bombardeo procedente de la cultura acelerada de los medios electrónicos. Basándose en su investigación, la autora recomienda, en resumidas cuentas, que *los niños menores de 7 años no utilicen la televisión ni el ordenador*. Después de esa edad, los medios electrónicos deberían integrarse poco a poco en el plan de estudios, asegurando una buena planificación y que las razones para su uso sean intelectualmente válidas. Recomienda no gastar dinero en ordenadores hasta que no se hayan tomado otras medidas educativas esenciales, como más especialistas en arte, lectura y matemáticas, más espacio físico, una biblioteca, aulas con pocos alumnos y profesores bien preparados. Si se utilizan ordenadores, los profesores pueden ser ejercitados en su uso como parte del plan de estudios, pero «no deberían usarse programas informáticos ni videojuegos educativos».[8]

Thomas Poplawski resume el punto de vista de muchos profesores del colegio Steiner (Waldorf) sobre cuándo empezar a ver la televisión y a usar el ordenador:

«Los padres pueden lograr proteger a un niño de los medios, pero luego está la cuestión de hasta cuándo debe continuar esa protección. Entre los profesores del Waldorf, las respuestas a esta pregunta reflejan un *continuum* que va desde una postura purista —que para algunos es impracticable e inejecutable—, hasta distintos niveles de concesión ante lo que se considera una fuerza imparable de la cultura popular. Casi todos los profesores opinan que no deberían estar expuestos a ningún medio audiovisual antes de los siete años. Algunos dicen que antes de los nueve años. Muchos están dispuestos a tolerar un uso sensato de la televisión entre los nueve y los doce años, a poder ser, acompañados de los padres. En opinión de muchos profesores, tras el comienzo de la adolescencia la joven persona debería tener libertad en esta área, pero también debería poder beneficiarse de la orientación paterna.

»Aun así, en el desarrollo del niño puede verse en peligro algo muy sutil. Roberto Trostli es un profesor del Waldorf que ha dado varias clases de enseñanza elemental superior. Comenta que entre los de octavo es capaz de reconocer quiénes están poco o nada expuestos a los medios. Son los más independientes y los que más iniciativa tienen. Tal observación quizá sea la razón más convincente para que los padres se tomen en serio la cuestión de los medios».[9]

La mejor manera de combatir los peligros de los medios electrónicos es excluir tanto como sea posible la cultura de la pantalla de las vidas de los niños durante *como mínimo* los siete primeros años. Los medios electrónicos son drogas poderosas, como el alcohol o el tabaco, por lo que los niños necesitan ser protegidos de ellos hasta que puedan decidir por sí mismos sin quedar enganchados. Hasta entonces los niños necesitan toda su energía para aprender a andar, a hablar, a pensar, a moverse, a jugar, a disfrutar de la naturaleza, a ejercitar la imaginación, a perder el tiempo, a aburrirse y a involucrarse en un juego espontáneo y creativo. La máxima apremiante que surge de este debate podría ser algo así como: «No más infancia dirigida por control remoto ni sometida a un programa demasiado apretado, y no más cultura de la pantalla en los dormitorios; aboguemos por recuperar una infancia que se está perdiendo por culpa de la cultura tecnológica».

Pero ¿cuáles son los métodos prácticos con los que afrontar los medios electrónicos, de modo que las familias puedan controlarlos sin ser dominadas por ellos? Ése es el tema del siguiente capítulo.

En resumidas cuentas...

1. De los medios electrónicos salen buenos criados, pero malos amos. ¿Cuál es el momento oportuno para que los niños empiecen a ver la televisión y a usar los medios electrónicos?

2. Los investigadores dan diversos consejos. La doctora Sally Ward recomienda que no sea antes de que el niño tenga, como mínimo, un año y que luego se haga de los medios un uso prudente. La American Association of Pediatrics aconseja que no se utilice ningún medio antes de los 2 años. La investigadora Jane Healy dice que preferiblemente no se usen antes de los 7 años.

3. Los colegios y parvularios con una política cautelosa con respecto a los medios electrónicos, como los colegios Steiner (Waldorf), recomiendan en su mayoría que no se use ningún medio electrónico en casa ni en el colegio antes de los 7 años, y luego, de 9 a 12 años, que se haga uso de ellos en dosis muy reducidas. Los colegios Steiner son poco comunes en el sentido de que los profesores están alertados de las consecuencias de los medios, aunque al mismo tiempo son conscientes de que van a contracorriente de la tendencia cultural popular al sugerir límites en el uso de los medios electrónicos.

4. Cada familia tiene la opción de tomar sus propias decisiones; cada niño y cada situación son únicos, y no existen soluciones fáciles.

5. Hace falta voluntad y perseverancia para proteger hoy en día a los niños de los poderosos condicionamientos comerciales que proporcionan los medios electrónicos, como hemos visto en el ejemplo de Lily, la niña «de avance rápido» y «producto» de los medios.

9. *Cómo limitar la exposición a los medios electrónicos*

Lo más importante que hemos aprendido
en lo que concierne a los niños
es a no dejarlos NUNCA, NUNCA
cerca de un televisor.
O, mejor aún, a no instalar siquiera
la dichosa caja tonta.

De «Consejo sobre la televisión», de Roald Dahl
Extraído de *Charlie y la fábrica de chocolate*

El objetivo de este capítulo es ofrecer estrategias prácticas de modo que pueda elegir lo que más les convenga a usted y a sus hijos. Se trata de que usted controle los medios electrónicos dentro de su entorno familiar. Nos centraremos en los primeros siete años, tras los cuales habrá puesto los cimientos para el resto de la vida de sus hijos. «Todo lo que he aprendido en mi vida lo he aprendido en el parvulario.» Ofreceremos algunas estrategias y sugerencias para familias con niños mayores, así como para aquellos que quieran recortar el uso de los medios electrónicos.

Cómo prevenir la adicción electrónica en los primeros años

Una sólida base para lograr afrontar los medios electrónicos con éxito es que usted y su pareja discutan y vigilen con regularidad la situación en casa antes de tener hijos y mientras están creciendo. ¡Es mucho más fácil *prevenir* la adicción electrónica en los primeros años que atajarla más tarde!

Un primer paso es comentar con su pareja su opinión sobre los efectos de los medios en los niños y sobre sus necesidades. Luego, si los dos están de acuerdo en que no expondrán a su bebé o a los niños pequeños a la televisión, los ordenadores y los videojuegos hasta la edad que acuerden, por ejemplo los 7 años, entonces habrán puesto unos sólidos cimientos para una estrategia y un planteamiento compartidos.

Es muy importante optar por retrasar la exposición de sus hijos a los medios electrónicos hasta una edad apropiada, saber cuándo hay que apagar el televisor, y utilizar Internet sólo con unos fines muy concretos. Eso significará que ha elegido una vida familiar más activa: jugando con sus hijos, contándoles cuentos, haciendo cosas, disfrutando de la naturaleza, dibujando y haciendo los deberes juntos. Aunque es más probable que sus hijos se ocupen de sí mismos de una manera más constructiva, habrá también momentos, como las «horas punta» del final de la tarde —mientras está cocinando con los niños tal vez cansados y discutidores—, en que esté deseando tener el equivalente de un canguro electrónico.

Sin embargo, cuando le pase por la cabeza la idea de «*un vídeo o la televisión como canguro electrónico*», recuérdese a sí mismo el círculo vicioso que ello supone: cuanto más vean la televisión los niños, más teleadictos se volverán y menos capaces serán de jugar solos. Por naturaleza, los niños son activos, curiosos, inventivos y juguetones; de modo que si les proporciona una caja con disfraces, una casita de muñecas, un muestrario de naturaleza, otro de artesanía y juegos y juguetes sencillos, enseguida encontrarán algo que hacer. Tomar decisiones claras y conscientes acerca del uso de los medios es algo que funciona; supone el primer paso para acceder a una vida familiar más creativa. Hellen cuenta la historia de cómo decidió no tener televisión en su casa:

«Ruth tiene ahora 11 años y no tuvo televisión durante los seis primeros años de su vida. Todo empezó cuando yo estaba leyendo *Who's Bringing Them Up? (¿Quién los está criando?),* de Martin Large. Leí la historia de la niña pequeña que, al ver a una mujer cocinando por televisión, intentó meterse dentro de la pantalla y participar en la actividad. Luego se fue a la cocina, donde su madre estaba cocinando, pero le dijeron que volviera y siguiera viendo televisión. Yo no quería que a Ruth le pasara lo mismo. Me sentí profundamente impresionada por la descripción de cómo nos quedamos adormilados mientras miramos la pantalla. Yo quería una niña despierta, creativa e interesada.

»Cuando iba por la mitad del libro, vendí el televisor. Lo reintroduje en casa cuando mi hermano vino a vivir con nosotros. Ahora tenemos la opción de ir al piso de arriba y ver una película o un programa con él. A estas alturas, Ruth ya sabe organizar y cocinar una comida de tres platos, se inventa algunas recetas y ha aprendido a ser independiente, curiosa y atenta. Como tiene mucha imaginación, se asusta con facilidad, por lo que a menudo no soporta las imágenes de la pantalla. Por otra parte, es una maravillosa narradora de cuentos. Su capacidad de atención es excelente y rara vez dice: "Me aburro". Cuando lo dice, le sugiero que haga alguna cosa. Su actividad favorita solía ser "hacer cosas". Ahora es jugar con sus amigos.

»Nuestro estilo de vida puede ser poco común, pero yo creo que lo que más nos ha influido a Ruth y a mí, aparte de la educación que le hemos dado en casa, ha sido que pasó sus primeros años sin la influencia de la televisión, con la que se pierde muchísimo el tiempo.

»Lo que más me llamó la atención de mi casa sin televisor fue el ambiente de tranquilidad. La gente comenta a menudo que parece un santuario y que se respira mucha paz».

La historia de Hellen es una de tantas, pues cada vez hay más familias decididas a limitar la exposición de sus hijos a los medios electrónicos. Incluso algunas celebridades mediáticas como Madonna, Tom Cruise y Steven Spielberg están deseando poner límites. Madonna quiere «lo mínimo de televisión» para sus hijos. Tom Cruise, que tiene dos hijos en edad escolar, dice: «No quiero que mis hijos vean mucho la televisión. Les dejo que la vean entre tres y cuatro horas a la semana, pero sólo si van bien en el colegio. Nos interesa sobre todo leer, leer mucho». Luego continúa: «No me gusta la idea de dejarlos solos con el ordenador; no estoy convencido de que sea sano para ellos».

Steven Spielberg y Kate Capshaw tienen cinco hijos. Él dice que con verla una hora ya tienen bastante, pero sólo si se dan las condiciones apropiadas, como haber hecho los deberes, haber terminado de cenar y haber concluido los quehaceres domésticos. Y dadas las terroríficas imágenes televisivas del 11 de septiembre, con el derrumbamiento de las Torres Gemelas, Spielberg no deja a sus hijos que vean las noticias: «No les dejo ver las noticias porque están mucho menos censuradas ahora que cuando yo era niño, y hoy en día hay tantas cosas aterradoras, que prefiero contarles yo las noticias. De este modo, les puedo asegurar que están a salvo».[1]

La pequeña pero significativa tendencia que se da entre los padres a recortar el tiempo de ver la televisión, implantando «días sin tele», o incluso nada de televisión durante los primeros años de sus hijos, está dando por resultado unos niños mejor dotados, con mejor rendimiento escolar y mayor bienestar en general. Un informe de la Kaiser Family Foundation halló que cuando los niños ven menos la televisión, son más felices y presentan mejoras tanto en el colegio como en sus relaciones. «La mejor receta para la felicidad que hemos visto desde hace años sin medicación alguna».[2]

Lejos de ser raro o poco común limitar el uso de los medios electrónicos a los niños, cada vez hay más padres que luchan por ello... con éxito. De todos modos, la mejor manera de poner límites es mantener los medios electrónicos apartados de los niños durante los siete primeros años.

Dónde guardar la televisión y los ordenadores

Tanto a usted como a su pareja les conviene considerar dónde guardar los aparatos de los medios electrónicos incluso antes de que haya nacido su primer hijo. Los ordenadores y la televisión son criados serviciales, pero malos amos. Desde el principio guarde el ordenador en su dormitorio, en la oficina, en el cobertizo del jardín o en el despacho, bien lejos de donde esté habitualmente su hijo. Si pone la televisión en su dormitorio, puede optar por verla lejos de los niños; también puede ponerla, junto con el vídeo, en el cuarto de estar, cubiertos por un paño o dentro de un armario, donde quedarán guardados fuera de la vista mientras no se utilicen. Un televisor en la cocina es una invitación a verlo durante las comidas. Ojos que no ven, corazón que no siente...

Esto suele llevar a la discusión sobre cómo afrontar los niveles de ruido de la casa, para lo cual tendremos en cuenta la investigación de Sally Ward (a la que nos hemos referido anteriormente) sobre los efectos de los ruidos de fondo procedentes de las radios y de los reproductores de CD, así como de las televisiones en los primeros años del niño. El objetivo es crear en el hogar un entorno relajado y apacible. Los problemas de sueño de los niños pequeños suelen desaparecer cuando no hay un ruido de fondo constante.

Resulta tentador introducir casetes de nanas o CDs de canciones infantiles, o incluso usar el vídeo favorito antes de acostarse cuando su hijo se va haciendo mayor. Sin embargo, cantarle algo al bebé para que se duerma, entonar canciones infantiles los dos a la vez o contarle un cuento antes de dormirse es más divertido y, al mismo tiempo, es mejor para que el niño se calme y se duerma, por no hablar de los otros múltiples beneficios que depara tal relación humana real.

Es importante tener en cuenta la inclinación bienintencionada de sus amigos y familiares al regalar a los pequeños de la casa inapropiados videojuegos, vídeos, juguetes relacionados con la televisión o incluso un televisor o un PC. Por alguna razón, en cuanto la gente sabe que sólo hace un uso prudente de la televisión en la familia, tiende a pensar que está privando de algo a sus hijos. De todos modos, si la gente se siente generosa, más vale que regale libros, juegos indicados para la edad y juguetes sencillos como bloques de construcción, pelotas o muñecas de trapo, que son mucho más idóneos que los juguetes caros y sofisticados que no dejan cabida a la imaginación. A veces, obviamente, hace falta tener tacto y sensibilidad para explicar su planteamiento acerca de los juguetes y el juego. Yo solía decirles que éramos un pelín anticuados. En nuestra familia quitábamos tranquilamente de en medio los juguetes inapropiados y los guardábamos en lo alto de la estantería; luego nos olvidábamos de ellos hasta que acababan en algún rastrillo benéfico.

Conforme se vaya haciendo mayor su bebé, tendrá ocasión de rediseñar algunas partes de la casa para sus actividades. Es importante estar preparado para un «desorden creativo»: el precio que hay que pagar por los niños creativos puede ser una casa revuelta, pero también puede recogerla con ellos como si fuera un juego antes de la merienda. A continuación le propongo algunas sugerencias sobre las reglas básicas para animar a su hijo a tener una infancia sana y natural.

Un espacio de juego. Cree una zona de juego con disfraces, un cesto de muñecas, marionetas, una casita de muñecas, un granero y la casa de Wendy. Un lugar especial en el que los niños puedan jugar incluso fuera del alcance de su vista, como un rincón o el hueco de debajo de las escaleras: un sitio que sea exclusivamente suyo. Como padre o madre, no se olvide de agacharse de vez en cuando a jugar imaginativamente con su hijo en el suelo, lo que incluye juegos desenfrenados como dar volteretas mientras se parten de risa, asegurándose siempre de que su hijo se siente seguro y respeta las vulnerabilidades. Sally Jenkinson, en su sensato libro *The Genius of Play (El genio del juego)*, cuenta que los niños necesitan la «licencia» o el permiso de los padres para jugar. Describe muchos juegos para niños y cómo éstos pueden disfrutar durante un rato largo de un juego creativo y sin reglas fijas.[3]

Juguetes. Los niños son muy felices jugando con juguetes sencillos como un trozo de tela anudada que hace las veces de una muñeca, a la que se le puede dibujar en el nudo una cara que represente la cabeza. Tenga mucho cuidado al elegir los juguetes; los juguetes sencillos que despiertan la imaginación son más divertidos que los caros juguetes patentados, que al ser tan «perfectos» resulta difícil jugar con ellos. Los juguetes patentados guardan relación con programas televisivos y con libros basados en películas, y normalmente sólo tienen un único propósito. En cambio, los juguetes no limitados de antemano, como los cubos, la plastilina y la arcilla, son mucho más divertidos. Un niño puede ser tan feliz dando patadas a una lata abollada con un amigo como a una pelota cara, o jugando con una caja de cartón en lugar de con un juguete caro.

Muestrario natural. Es ideal para que los niños pequeños recreen las distintas estaciones del año con flores, frutas, fósiles, cristales, musgo, un nido de pájaro, plantas y velas. El muestrario de la naturaleza puede convertirse en el foco para celebrar fiestas relacionadas con las estaciones del año, y para guardar los tesoros naturales traídos de los paseos y las fotos de los cambios estacionales. Es una manera de conectarse con la naturaleza tanto en las áreas urbanas como rurales. El libro *The Children's Year (El año de los niños)* da instrucciones valiosas sobre cómo hacer estos muestrarios naturales.[4]

Una zona deportiva. Se puede utilizar una caja de cartón con pelotas, bates, cuerdas, combas, patines, raquetas... para jugar al balón, a la pata coja, etc. El libro de Kim Payne, *Games Children Play[5] (Juegos para niños)*, da ideas para juegos infantiles indicados para cada edad. En él pueden verse juegos cooperativos y también entretenimientos para fiestas.

Muestrario artesanal. Se trata de una mesa o una zona en la que los niños puedan pintar, dibujar, hacer cosas, usar plastilina, coser, hacer punto o construir maquetas. También hay lápices, papel, naipes, delantales, lana, pegamento, telas, trapos, tijeras, bolígrafos y cepillos, todos ellos clasificados dentro de cajas, tarros y cestas de distintos tamaños. Pruebe a hacer regalos para fiestas y cumpleaños. Resulta curioso ver la frecuencia con la que los niños se dejan atraer por un muestrario artesanal, y una vez que les diga cómo se empieza, los niños estarán deseando continuar.

Celebre fiestas con sus hijos, empezando por días especiales como los cumpleaños. Hacer fiestas con arreglo a las distintas estaciones es una manera de señalar el año, y los niños estarán deseando ansiosamente que llegue la siguiente fiesta. Cada una de ellas implica hacer cosas, crear muestrarios naturales, contar cuentos, hacer comidas, cantar canciones y jugar. En Navidades, libros tan recurrentes como *Festival, Family and Food[6] (Fiestas, familia y comida)* ofrecen una amplia gama de ideas festivas que encantan a los niños.

Un área musical. Puede ser un piano o un rincón en el cuarto de estar donde haya instrumentos como tambores, panderetas, flautas, una simple lira y música, y donde los niños puedan tocar música solos o acompañados. Tener instrumentos como flautas y guitarras anima a los niños a interesarse por tocarlos. Cantar regularmente a la hora de acostarse, bendecir la mesa en las comidas, cantar en las fiestas o dedicar una parte del día a contar una historia le hará acostumbrarse a cantar a lo largo del día y de todo el año.

Espacio para jugar en el jardín. Asegúrese de tener un buen cuadro de arena, un columpio, una estructura metálica para trepar, una casa de juguete y una zona de juego, si tiene un jardín o puede compartir un espacio ajardinado con el vecino. Es importante trabajar en el jardín con los niños pequeños; por ejemplo, si cada uno de ellos tiene un pequeño huerto en el que plantar bulbos y semillas y los cuidan con usted a lo largo de todo el año, de modo que sus hijos «se ensucien las manos». Si no tiene jardín, una alternativa es cuidar jardineras de ventana y macetas, así como brotes y pequeños tiestos con bulbos en el muestrario natural.

Cuentos y libros. Cree un rincón con libros para los niños con estanterías, un sitio para leer, una alfombra mullida y cojines en los que acurrucarse con un libro indicado para su edad; se puede empezar por libros de ilustraciones grandes con poca o ninguna letra. Leer libros puede ser una delicia, pero lo que de verdad les entusiasma a los niños es que les cuente usted mismo cuentos. Para ellos usted es el mejor narrador de historias del mundo, y da igual que se trate de rimas y canciones infantiles, o que les cuente lo que le ha pasado ese día, o narraciones repetitivas como Ricitos de Oro, o cuentos de hadas o que les lea libros de cuentos ilustrados. Si no se siente muy seguro como cantante, intente apuntarse al coro de la comunidad local o matricúlese en un curso de cuentacuentos. Recuerde lo que decía Albert Einstein sobre contar historias: «Si quieres que tus hijos sean listos, cuéntales cuentos. Si quieres que sean sabios, cuéntales más cuentos todavía».

Comidas. Procure compartir las comidas con la televisión y la radio apagadas, de modo que puedan hablar del día que tienen por delante, si es el desayuno, o de lo que ha pasado ese día, si es la cena. La conversación en torno a la mesa es el corazón de la vida familiar; ahí aprenden los niños a hablar por turnos, se cuentan historias o sencillamente se disfruta de estar juntos.

La hora de acostarse. Es un momento especial tanto para los padres como para los hijos. Es la hora de ordenar el dormitorio de su hijo con él, asegurándose de preparar la ropa para el día siguiente, de contarse los incidentes del día, de hablar incluso de algo que le preocupe a su hijo, de pensar en el día siguiente, de contar un cuento y de cantar una nana mientras le da fricciones por la espalda, para terminar con un verso o una oración de buenas noches. Esos rituales a la hora de acostarse son muy tranquilizadores para los niños; además así, previamente, tienen ganas de meterse en la cama y, después, se quedan relajados para dormir. Si es usted un padre o una madre ocupado, puede tratarse del único momento del día en que pueda relajarse y limitarse a *estar* con su hijo... aunque es fácil que usted también se duerma.

Juegos vespertinos. Reserve una tarde a la semana para jugar en casa y para desarrollar un repertorio de juegos familiares.

Cocinar y otras actividades. Pruebe a cocinar platos sencillos con sus hijos, de manera que cuando sean lo bastante mayores puedan hacer la comida para todos ustedes una vez por semana. Salga a hacer deporte con regularidad, como aprender a nadar; dé paseos, cultive una afición, invite a otra familia a casa, lleve a los niños a la biblioteca o haga otro tipo de visitas educativas o divertidas. El problema es cómo hallar un equilibrio en todo esto y encontrar un ritmo que funcione para usted y para su familia, sin caer en la trampa de una agenda demasiado apretada. Su tarea no consiste en entretener a sus hijos, sino en proporcionarles un hogar enriquecedor donde los niños puedan encontrar su propio ritmo sin padecer sobrestimulación ni negligencia.

Aburrimiento. La vida moderna es tan ajetreada, que queda poco tiempo para mirar a las musarañas. Así que cuando sus hijos digan que están aburridos, deles tiempo para soñar despiertos y aburrirse. Procure evitar que lo tengan todo demasiado estructurado. Cuando no hay programado nada que hacer, los niños suelen encontrar formas de ocuparse, lo que a menudo deriva en un juego creativo, no estructurado, que es esencial y que enriquece el crecimiento infantil. Si hay materiales o espacio para jugar al alcance de la mano, los niños empezarán enseguida a hacer algo o se inventarán un juego.

Estas actividades de los pequeños son sólo el principio. Existen muchos manuales útiles para consultar cuando tenga dudas. Puede compartir ideas y actividades con amigos que a su vez tengan hijos pequeños, y tanto la ludoteca como el grupo de juego o el parvulario pueden tener clases de artesanía para padres. Tener niños pequeños mantiene muy ocupados a sus padres, pero al mismo tiempo es muy gratificante y satisfactorio.

Visitas a casa de amigos

Aunque pueda mantener a sus propios hijos «libres de la pantalla», ¿qué ocurre cuando van a jugar a casa de los amigos? Si usted tiene claro por qué ha elegido limitar la exposición de su hijo a los medios electrónicos, entonces cuénteselo a otros padres cuando se lo pregunten. Ahora, cada vez se acepta más que los padres acuerden reglas básicas para las visitas. Un padre puede sugerir a los padres anfitriones: «Por favor, manden a nuestros hijos a casa si el suyo se pone a ver la televisión o a jugar con videojuegos; preferiría que se limitaran a jugar». Este tipo de estrategia suele funcionar bien. A veces, aunque la otra familia sepa que usted prefiere que su hijo no vea la televisión, puede ocurrir que la vea. Aunque tampoco es el fin del mundo, puede intentar decirles que, si bien agradece la invitación a jugar, como la televisión puede tener efectos negativos, preferiría que la próxima vez su hijo no la viera. Luego, también puede acordar reglas básicas con su hijo; puede sugerirle alternativas como salir a jugar a la calle o emprender algo juntos.

Al cabo del tiempo, tenderá a crear un círculo de familias con un planteamiento similar acerca del juego; así sabrá que su hijo puede ir de visita sin la intrusión de los medios electrónicos. En mi propia familia vimos cómo muchos niños que venían de visita y que estaban sometidos a fuertes dosis de televisión y videojuegos, preferían mil veces ponerse a jugar.

¿Qué ocurre cuando se limitan los medios electrónicos?

En su casa habrá mucha más actividad creativa cuando limite los medios electrónicos. Es cierto que con el juego activo tiende a haber más ruido, ya sea por tirar bloques de construcción, por jugar con agua fuera o dentro de casa o por ensayar música. La casa estará más desordenada, con juguetes por todo el cuarto de estar, con barro de la calle, o con los niños queriendo jugar a su lado. Habrá mucha más actividad: juegos de toda clase, cocinar, hacer casas de muñecas, jugar al escondite... Usted estará más ocupado con los intereses de su hijo, como ir a la biblioteca, al parque municipal, a una reserva natural, a casa de unos amigos en bici..., pero los niños acabarán saludablemente cansados. Si bien es verdad que se *ahorrará* el dinero de los costosos videojuegos, merece la pena recordar que los viajes, las excursiones y las actividades deportivas también pueden ser a veces caros.

Los niños hablarán más, jugarán durante más tiempo, pedirán menos comida basura, sabrán entretenerse solos, harán sus tareas domésticas y estarán más dispuestos a aprender a tocar un instrumento o a practicar un deporte; además se sentirán más relajados. Recuerdo a unos antiguos vecinos que me contaban que nuestros hijos «jugaban como los niños de otros tiempos: durante un rato largo y completamente absortos, y parecía tan interesante lo que estaban haciendo...».

Casi al final de este capítulo podemos traer a colación a Roald Dahl:

«Consejos sobre la televisión», de Roald Dahl

Lo más importante que hemos aprendido
en lo que concierne a los niños
es a no dejarlos NUNCA, NUNCA
cerca de un televisor.
O, mejor aún, a no instalar siquiera
la dichosa caja tonta.
En casi todas las casas visitadas
los hemos visto mirar embobados a la pantalla.
Repantingados y tirados a la bartola,
la miran fijamente hasta que les revientan los ojos.
(La semana pasada vimos en una casa
una docena de pupilas por el suelo.)
De tanto mirar y mirar
se quedan hipnotizados,
hasta acabar completamente borrachos
por toda esa horrible porquería.
Oh, sí, ya sabemos que eso los mantiene quietos.
No se encaraman al alféizar de la ventana,
no se pelean ni dan patadas ni puñetazos,
te dejan en paz para preparar la cena
y para fregar los cacharros.
Pero ¿te has parado alguna vez a pensar
qué efectos produce exactamente la televisión
sobre tu adorada criatura?

CORROMPE LOS SENTIDOS.
MATA LA IMAGINACIÓN.
OBSTRUYE Y OFUSCA LA MENTE.
VUELVE AL NIÑO LERDO Y CIEGO.
LE IMPIDE COMPRENDER
UNA FANTASÍA, UN PAÍS DE ENSUEÑO.
SU CEREBRO SE REBLANDECE COMO EL QUESO.
SU CAPACIDAD DE PENSAMIENTO SE OXIDA Y SE HIELA.
NO SABE PENSAR. SÓLO VE.

Pero ¿qué hay del siguiente paso, cuando los niños cumplen 7 años y entran en primaria? ¿Cómo pueden afrontar los medios electrónicos las familias con niños mayorcitos? ¿Cuándo pueden empezar los niños a usar la televisión y el ordenador con relativa seguridad?

En resumidas cuentas...

1. El mejor momento para limitar la exposición a los medios electrónicos es cuando los hijos son pequeños: en los primeros siete años.
2. Puede cambiar de sitio el televisor y el PC en su casa, de modo que estén fuera del alcance de los niños.
3. Los niños que dan sus primeros pasos son activos, curiosos y disfrutan jugando; si usted les facilita un espacio enriquecedor para jugar, hacer ejercicio y desarrollar actividades, aprenderán a entretenerse solos.
4. Esté preparado para ser activo también usted. Resulta tentador usar la televisión como un canguro electrónico, pero únicamente reduce la habilidad de los niños para entretenerse solos.
5. ¡Usted no es el encargado de entretener a sus hijos! Si se aburren, ya tienen bastantes cosas a su alrededor para decidir qué hacer.
6. Los juguetes sencillos y «abiertos», como una caja con disfraces o unos bloques de construcción son los que más involucran a los niños. Un experimento mostró que cuando a un grupo de niños del parvulario se les quitaron todos los juguetes, enseguida se inventaron sucedáneos con objetos cotidianos muy elementales.

7. La rutina diaria —levantarse, comer, pasear, practicar actividades al aire libre, contarles cuentos— realmente ayuda a proporcionarles seguridad y estructura; así, por ejemplo, sus hijos estarán deseando que llegue la hora de acostarse porque les parecerá un momento muy especial.

8. Visitar a los amigos y jugar en otras casas requiere tacto y firmeza a la hora de acordar reglas fundamentales sobre no ver la televisión ni utilizar videojuegos. Cada vez hay más gente que entiende y respeta a las familias que ponen límites claros a la exposición a los medios.

9. Sus hijos se beneficiarán de ser más seguros, felices y creativos que muchos niños de preescolar expuestos a una fuerte dieta de medios electrónicos. ¡Tendrán una infancia! Pese a los retos derivados de ser unos padres más activos, guardará un buen recuerdo de la infancia de sus hijos. Nunca dirá: «¡Ojalá mis hijos hubieran jugado más con videojuegos y hubieran visto más la televisión cuando eran pequeños!».

10. Estrategias para familias con niños mayores de 7 años

«De acuerdo», gritarás. «De acuerdo», dirás,
«pero si quitamos el televisor,
¿qué hacemos para entretenernos?
¡Pobres hijos nuestros! A ver, explícame».
Te responderé con una pregunta:
«¿Qué hacían antes los niños?
¿Cómo se mantenían contentos
antes de que se inventara ese monstruo?»
¿No lo sabes? ¿Lo has olvidado?
Pues te lo diré alto y claro:
¡LEER! SOLÍAN LEER Y LEER
Y LEER Y LEER, Y LUEGO SEGUÍAN
LEYENDO otro poco más. ¡Al gran Scott! ¡A Gadzooks!
¡La mitad de la vida la pasaban leyendo!

«Consejos sobre la televisión», de Roald Dahl

Estrategias constructivas para familias con niños mayorcitos

Dadas las presiones de la vida moderna y también los indudables beneficios que pueden derivar de los medios electrónicos si se utilizan sensatamente, es importante considerar cuándo conviene que los ni-

ños mayores de 7 años empiecen a usar la televisión y el ordenador en casa. Muchos colegios hacen un uso regular de los medios electrónicos; así pues, a no ser que exista la posibilidad de matricularlos en una escuela primaria que prescinda de la pantalla, los padres deben considerar cómo arreglárselas de la mejor manera posible dentro de la familia.

Cada familia tomará sus propias decisiones sobre cómo abordar esta desafiante cuestión. Si ha desarrollado una vida familiar creativa y activa en los siete primeros años, entonces podrá intentar introducir la televisión o los ordenadores cuando le parezca conveniente. Aparte del inicial efecto de novedad, verá que sus hijos están tan acostumbrados a las actividades familiares normales, a los amigos y a jugar, que no se mostrarán tan interesados.

Para algunos padres esta decisión debe respetar una serie de valores. Así, por ejemplo, algunos grupos religiosos como los cuáqueros o la gente a la que no le gustan los niveles de violencia de la televisión y los videojuegos, controlan estrictamente el contenido de la programación. Los padres preocupados por los aplastantes efectos de la comercialización limitarán la exposición a los medios hasta que sus hijos tengan un criterio y puedan optar por apagarlos. Otros estarán más preocupados por la salud y el bienestar del niño. Algunos padres, habiendo leído los argumentos de los psicólogos Fred y Merrelyn Emery, o los de Jane Healy (todos ellos discutidos anteriormente), consideran que el cerebro humano fundamentalmente se adapta mal al medio del CRT/VDT. De ahí que sean muy reacios a exponer a sus hijos a los medios electrónicos antes de que sean adolescentes. Éste es el punto de vista que generalmente sostienen muchos profesores del colegio Waldorf (Rudolf Steiner). Asimismo, destacan que el CRT embota los sentidos, la imaginación y la capacidad de pensar con independencia, y que limitar la exposición a los medios es importante para el desarrollo de un niño sano.

Otros padres deciden poner ciertas condiciones antes de permitir que su hijo vea la televisión o utilice un ordenador. Tales condiciones incluyen la capacidad para leer libros y disfrutarlos, para escribir, para concentrarse, para cumplir regularmente con las tareas domésticas, para cultivar una afición o un deporte con regularidad, para jugar o para entretenerse solo durante un tiempo razonable.

Leer es importante porque es la primera y principal actividad infantil que acaba desplazada por los medios electrónicos. Es también la clave para el éxito escolar, según un reciente estudio. *Reading for Change* halló que el entusiasmo de los niños por leer frecuentemente en casa tenía un efecto mucho mayor en su éxito educativo que la riqueza o la clase social de sus familias.[1] De todos modos, si responde «Sí» a algunas de las siguientes preguntas, entonces permitir que su hijo use los medios electrónicos puede perfectamente provocar un deterioro de su conducta en varios sentidos:

- ¿Hasta qué punto necesita su hijo una gratificación instantánea? ¿Tiene un nivel bajo de tolerancia a la frustración?
- ¿Es su hijo hiperactivo, carece de autocontrol? ¿Es demasiado activo y tiene problemas de conducta? ¿Es agresivo? ¿Es capaz de estar tranquilamente sentado oyendo un cuento o jugando a algo?
- ¿Se lleva bien con otros niños?
- ¿Hace las tareas domésticas que le corresponden con regularidad?
- ¿Tiene pesadillas, ansiedad y temores que le dificulten el sueño?
- ¿Sabe expresarse bien?
- ¿Se aburre con frecuencia? ¿Le resulta difícil entretenerse solo o jugar?
- ¿Tiene dificultades para prestar atención o para concentrarse?

Si después de considerar la lista precedente está preocupado por la conducta y por las dificultades de aprendizaje de su hijo, puede ser conveniente que hable con el profesor del niño, con un asesor de las necesidades de aprendizaje o con un psicólogo especialista en educación. Aunque la televisión y los videojuegos mantengan ocupado a su hijo, en general empeorarán su conducta si no se resuelven las causas primordiales.

Diferentes maneras de afrontar los medios electrónicos

Poner límites claros al uso de los medios acordando reglas fundamentales

Muchos padres, como Tom Cruise, ofrecen a sus hijos en edad escolar la posibilidad de ver uno o dos programas especialmente seleccionados por semana. Se oponen a dejarles una o dos horas al día porque creen que eso les crearía hábito. Una familia con tres chicos eligió ver todos juntos «Ready, Steady, Cook» (¡Preparados, listos, a cocinar!). El resultado es que los dos chicos mayores, de 7 y 9 años, son ahora aficionados a cocinar en las fiestas. El programa les sirvió de inspiración para cocinar, lo que llenó de satisfacción a sus padres. El otro programa que eligieron fue «Scrapheap Challenge» (Desafío: montón de desechos), que era tan bueno para adquirir conocimientos técnicos, que uno de los niños acabó sabiendo explicar cómo funcionaba un coche de cuerda.

Esa familia guarda un televisor de 14 pulgadas y un reproductor de vídeos debajo de un paño en el cuarto de estar, y el padre utiliza ocasionalmente un ordenador portátil para trabajar en casa. Las reglas para los chicos mayores son un máximo de dos horas a la semana (nunca en días de colegio) y, de vez en cuando, un premio en forma de vídeo, como por ejemplo una película antigua en casa de la abuela. Cuando esos niños van a jugar a casa de los vecinos y los padres dicen: «Nuestros hijos no ven la televisión», los vecinos dicen: «Ah, sí, ya lo entendemos; es cosa del Steiner-Waldorf». Pero las familias con hijos que van a colegios normales es posible que necesiten un PC conectado a Internet con una impresora en casa, por ejemplo, con el fin de acceder a información de la red para hacer los deberes. La solución más común parece ser tener el ordenador personal en el hall, en el cuarto de estar o en alguna habitación de reunión, de modo que puedan utilizarlo todos los miembros de la familia, y de manera que los padres puedan supervisar su uso.

El peligro es que cuando los niños tienen ordenadores en sus dormitorios, pueden utilizarlos durante mucho tiempo sin que nadie los vigile. A los padres que trabajan les puede venir bien mantener a los niños fuera del cuarto de estar, porque así molestan menos. Un ejemplo extremo de esta conducta es el de unos chicos adolescentes japoneses que se retiraron durante años a sus dormitorios abarrotados de pantallas y que sólo aparecían por la noche para comer algo. Un tutor que va de visita a las casas de los estudiantes les dice a los padres que están perdiendo el tiempo y el dinero dejando a sus adolescentes encerrados en el dormitorio con su PC. Y normalmente observa una mejoría inmediata cuando el ordenador personal sale del dormitorio y ocupa su sitio en el cuarto de estar o en el hall.

Otras familias permiten ver la televisión y jugar con los videojuegos entre semana, los días de colegio, pero nunca nada más llegar a casa del colegio y sólo después de que hayan hecho los deberes y sus quehaceres domésticos. Las familias activas también tienden a pensar que el uso de los medios electrónicos disminuye drásticamente cuando llega la primavera y el verano.

Muchas familias optan por poner unas reglas básicas para el uso de los medios.

Una muestra de reglas básicas para el uso de los medios electrónicos

Pese a que existen reglas comunes sobre cómo usar los medios electrónicos, cada familia ha de acordar sus propias reglas y revisarlas cada cierto tiempo. Las familias podrán discutir y decidir cuáles les convienen para su situación particular:

1. Los medios electrónicos estarán normalmente prohibidos para todos los niños menores de 7 años, o bien en el límite de edad que usted establezca.

Para niños en edad escolar:

2. No use los medios electrónicos en días de colegio, pero si decide que vean algún programa especialmente seleccionado, que no sea antes de que hayan terminado los deberes y sus tareas domésticas. Y, desde luego, nada de televisión durante el desayuno los días de colegio.
3. No ponga televisores ni PC en los dormitorios. Limítese a poner una televisión-vídeo en el cuarto de estar, dentro de un armarito o cubierta por un paño. Guarde el ordenador personal en el hall o en alguna habitación a la que tenga acceso toda la familia.
4. Si les permite ver la televisión o usar los videojuegos, digamos, una hora al día, tenga en cuenta que puede convertirse en un hábito; así que proponga a sus hijos que elijan programas o juegos específicos y ponga un límite de tiempo. Déjeles ver sólo programas infantiles o con un interés especial. Los niños pequeños sólo podrán ver la televisión en presencia de adultos, y las noticias requieren supervisión. Nada más terminar el programa, hay que apagar inmediatamente el televisor.

5. Discuta sobre cómo hacer el mejor uso del PC para información, juegos, e-mails y chats cuando sus hijos estén preparados, y procure acompañarlos.

6. Encuentre un equilibrio entre el uso del PC y de la televisión, y el ejercicio físico. Por cada hora de usarlos, calcule *dos* horas de ejercicio físico, para así evitar que sus hijos acaben convirtiéndose en *couch potatos* (los que no se despegan del televisor o del vídeo). (Hay un padre que sólo dejaba que sus hijos vieran la televisión si montaban en una bicicleta estática hasta que generara suficiente electricidad como para poner en marcha el televisor.)

7. Evite comprar revistas, juguetes, productos y periódicos relacionados con la televisión.

8. Utilice la televisión o el PC de manera consciente; no los encienda ni se ponga a hacer *zaping* a la espera de encontrar algo interesante; elija el programa con antelación. Lo mismo cabe decir de navegar por la red.

9. Asegúrese de tomar precauciones saludables para el uso del PC: compruebe los aspectos ergonómicos, hágales pruebas de la vista, vigile los dolores de espalda y los problemas musculoesqueléticos; en caso de duda, pida consejo a un optometrista, a un médico, etc. Tome también precauciones de seguridad con los potenciales abusos de Internet; por ejemplo, ocultando el contenido violento, pornográfico o intruso (véase apéndice 1). Tiene a su disposición muchos filtros de software con este propósito.[2]

Jim Trelease, en *Read Aloud Handbook (Manual para leer en voz alta)*, cuenta la historia de cómo su familia desarrolló sus propias estrategias relacionadas con la televisión. Cuando los Trelease anunciaron a sus hijos que iban a restringir el uso del televisor, éstos se echaron a llorar y siguieron enfadándose de vez en cuando durante cuatro meses. La razón de esa restricción era que su hija de 9 años y su hijo de 5 estaban mostrando signos de adicción televisiva. El tiempo que dedicaban cada noche a «leer en voz alta» se fue deteriorando porque los niños decían que eso «les quitaba demasiado tiempo para ver la televisión». Otro factor fue que los padres comprobaron que algunos amigos no dejaban ver la televisión a sus hijos en los días de labor y vieron las innumerables ventajas que se derivaban de ello. Los Trelease

tuvieron que aguantar la presión de los amigos —de la misma edad—
de sus hijos y de otros padres. «¿Y qué me decís de los programas del
National Geographic?», les solían decir.

Al cabo de tres meses del nuevo régimen televisivo, sacaban tiempo para leer en voz alta, para los libros, para hacer los deberes con calma, para jugar, para cocinar, para hacer maquetas, escribir cartas, pra-
ticar deporte, pintar, dibujar, hacer su parte de las tareas domésticas
y, «lo mejor de todo, para hablar unos con otros, plantear preguntas,
dar respuestas... La imaginación de nuestros hijos afloró de nuevo».
Su plan fue el siguiente:

- Apagar la televisión a la hora de la cena y no volverla a encender de
  lunes a jueves.
- A cada niño se le permitía ver un programa (sometido a la aprobación de los padres) a la semana. Previamente habían tenido que terminar los deberes, las tareas domésticas, etc.
- Durante los fines de semana, la televisión estaba limitada a dos de
  los tres noches. La noche que sobraba se reservaba para hacer los
  deberes u otras actividades. Los niños hacían la selección cada uno
  por separado.

Como la selección fomentaba ver la televisión de forma inteligente, los niños se volvieron muy «exquisitos». O bien se olvidaban
de la opción de un programa especial durante la semana, o bien ele-
gían no verlo. Sin embargo, Trelease observa lo siguiente: «Si va a exigir que los niños abrevien el tiempo de ver la televisión, si va a crear
un vacío de tres horas en su vida diaria, entonces usted tiene la obli-
gación de rellenar ese vacío».[3]

Así pues, es importante revisar regularmente el uso familiar de los
medios con su pareja y con los niños para mantenerse a la altura de
las necesidades cambiantes, para discutir las razones de la selección y
para desarrollar un manejo mediático crítico, de modo que sus hijos
desarrollen la capacidad de hacer sus propias elecciones. Nosotros
éramos una familia que nos reuníamos con nuestros cuatro hijos los
domingos por la tarde para leer una historia y para planear la siguiente semana. Ése era un buen momento para decidir lo que que-
ríamos hacer.

Haber logrado un acceso racional a los medios electrónicos tiene muchas ventajas para los niños de 7 a 12 años. Así aprenderán a usar los medios responsablemente, cuando usted y ellos noten que están preparados. No habrá una «fruta prohibida» que provoque el consiguiente abuso a modo de compensación. Las actividades familiares normales, como animarlos a leer, normalmente excluirán los medios electrónicos. Usted será capaz de censurar y restringir los videojuegos que estén claramente diseñados para enganchar a sus hijos, y de elegir otros más apropiados. Sus hijos serán capaces de apagar el televisor. También tendrán capacidad para compartir los pocos programas que vean con los amigos del colegio, de manera que no se sientan raros. Y, dependiendo de cada niño, como diría Roald Dahl, «lo querrán por lo que hizo».

En resumidas cuentas...

1. La elección de cuándo introducir la televisión y el ordenador en la vida familiar para los que tienen más de 7 años depende de usted: de sus valores acerca del contenido de la programación, de su punto de vista sobre los efectos del CRT/VDT en el crecimiento y en el cerebro del niño, y de las necesidades de cada niño.

2. Si está preocupado por la conducta y las dificultades en el aprendizaje de su hijo, la televisión y/o el ordenador pueden ser un factor a tener en cuenta; consulte, pues, con los educadores pertinentes o con profesionales de la salud.

3. Algunos colegios pueden exigir que los niños usen el ordenador e Internet, y algunos sostendrán que la naturaleza interactiva de los videojuegos es educativa: por ejemplo, las simulaciones, los rompecabezas, los juegos de imitación... Una vez más, se trata de una decisión sobre lo que resulta más indicado en una situación dada.

4. Las familias desarrollan diferentes estrategias para sacar provecho de los medios sin abusar de ellos: por ejemplo, poner límites claros a su uso a base de unas reglas fundamentales. Conviene que establezca sus propias reglas; es la mejor solución.

5. Usted no está solo: la mayor parte de los padres se preocupan por recortar el tiempo que sus hijos pasan delante de la pantalla, y muchas familias piensan que la vida es tan completa ya de por sí, que eligen cuidadosamente lo que quieren de los medios electrónicos. Neil Postman denomina a esto el «efecto monasterio», practicado por los padres que controlan el acceso a los medios de sus hijos y crean así una cultura familiar activa que es única y, al mismo tiempo, sustancialmente diferente del mundo acelerado dominado por los medios.

6. Postman defiende limitar la exposición a los medios y, asimismo, sugiere que vigilemos de cerca a los hijos, viendo la televisión, usando programas, jugando con videojuegos y navegando por Internet con ellos, sometiendo a una crítica continua los valores y el contenido. Tales intentos de lograr un buen manejo mediático ayudan a enseñar a los niños a discernir, de modo que sean capaces de tomar sus propias decisiones responsables.[4]

«Consejos sobre la televisión», de Roald Dahl

«De acuerdo», gritarás. «De acuerdo», dirás,
«pero si quitamos el televisor,
¿qué hacemos para entretenernos?
¡Pobres hijos nuestros! A ver, explícame».
Te responderé con una pregunta:
«¿Qué hacían antes los niños?
¿Cómo se mantenían contentos
antes de que se inventara ese monstruo?»
¿No lo sabes? ¿Lo has olvidado?
Pus te lo diré alto y claro:
¡LEER! SOLÍAN LEER Y LEER
Y LEER Y LEER, Y LUEGO SEGUÍAN
LEYENDO otro poco más. ¡Al gran Scott! ¡A Gadzzoks!
¡La mitad de la vida la pasaban leyendo!
Las estanterías del cuarto de jugar tenían libros a porrillo.
El suelo del cuarto de jugar estaba atestado de libros.
Y en el dormitorio, junto a la cama,

más libros aguardaban a ser leídos.
Aquellos maravillosos y fantásticos cuentos
de dragones, gitanos, reinas y ballenas,
de islas del tesoro y playas remotas
donde los contrabandistas remaban con remos camuflados,
y los piratas llevaban leotardos de color púrpura,
de barcos que zarpaban y elefantes,
y de caníbales en cuclillas alrededor de la olla
removiendo algo humeante.
¡Ay, los libros, la de cosas que sabían
los niños de hace tiempo!
Así que por favor, te pedimos, te rogamos
que tires el televisor.
Y en su lugar puedes instalar
una preciosa librería en la pared.
Luego llena los estantes con montones de libros
ignorando todas las miradas recelosas,
los gritos, los chillidos, los golpes y las patadas,
y los niños pegándote con las palancas de control.
No temas, porque te prometo
que al cabo de una o dos semanas
de tener otra cosa que hacer
empezarán a sentir la necesidad
de tener algo bueno que leer.
Y una vez que empiecen sentirán en su corazón
la alegría de crecer lentamente.
crecerán tan sagaces
que se extrañarán de lo que veían
en esa ridícula máquina.
¡La nauseabunda, asquerosa, inmunda
y repulsiva pantalla de la televisión!
Y más tarde, todos y cada uno de los niños
te querrán más por lo que has hecho.

Reproducido con el amable consentimiento del autor,
Roald Dahl, 1964[5]

11. *Cómo recuperar la infancia para los niños*

Un creciente número de padres y educadores están defendiendo que la infancia ha de ser recuperada de la comercialización agresiva, de hacer demasiadas cosas y demasiado pronto en el colegio, de la excesiva estimulación de los medios electrónicos y del aislamiento social en casa dentro de los dormitorios dominados por los multimedia. En Gran Bretaña, cada vez son más los niños que tienen miedo a jugar en la calle porque los espacios sociales de sus barrios, en otro tiempo seguros, son percibidos como peligrosos. En 1971, ocho de cada diez niños iban andando al colegio, pero en 1997 sólo lo hacía uno de cada diez. El pánico difundido por los medios sobre los peligros del extraño o del pedófilo únicamente agravan esos temores, como también los agravó la reiterada emisión televisiva de los ataques del 11 de septiembre sobre la Torres Gemelas, a los que Steve Evans difinió gráficamente como «pornográficos» porque algunas secuencias se mostraban repetidas veces con música, como un innecesario telón de fondo de las cabezas parlantes.[1]

En un estudio reciente, unos investigadores de la salud mental infantil han descubierto que uno de cada cinco niños padece ansiedad y depresión; el 12 % padece trastornos de ansiedad, el 10 % trastornos destructivos, el 5 % déficit de atención y el 6 % trastornos en el desarrollo. El reciente Informe de la Fundación de Salud Mental, *Bright Futures*, comparaba a la infancia con una «zona de guerra» de crisis familiares, crecientes exigencias escolares, miedo a jugar en la calle, barrios fracturados y pérdida de esperanza en el futuro.

Peter Wilson of Young Minds, una organización para la salud mental de los niños, reflexionaba sobre la pérdida de la infancia:

«... La tecnología —televisión, cine y ordenadores— ha arruinado todo eso. Ha disuelto las diferencias. Mientras que antes los niños tenían que reunir las condiciones necesarias para volverse adultos, aprendiendo por ejemplo a leer, ahora cualquiera puede consumir televisión... No se trata tanto de que se haya reducido la inocencia de la infancia, como de la desaparición de la infancia como desarrollo gradual, como descubrimiento gradual... Ahora a la infancia se le mete prisa, se la acosa para que espabile antes de tiempo... Los niños no son tan adaptables como creemos».[2]

Pero al mismo tiempo vivimos en una época muy creativa en que las familias, los colegios y las comunidades pueden unirse para proteger y recuperar la infancia. Por poner un solo ejemplo, mientras escribía este libro visité la remota ciudad costera de St Ives, muy al sudoeste de Inglaterra. Cuando el tiempo lo permitía, los niños y los adolescentes salían a la calle en tropel después del colegio; unos daban increíbles saltos con el monopatín enfrente del ayuntamiento, otros hacían surf en el mar y otros ensayaban para la renombrada, fantástica y extravagante obra musical Kid's R Us Christmas.

Los padres se preguntan a sí mismos y a otros padres cómo crear un mundo más orientado a la familia y más acogedor para los niños como alternativa a que se retiren al mundo privatizado de una cultura tremendamente individualista. Los padres, conscientes de las presiones de la vida moderna, como por ejemplo la intrusión de los medios, procuran prestar atención a los factores esenciales de la infancia: relaciones cariñosas, conversación, comidas compartidas, cuentos, lectura, rutina diaria, disfrute de la naturaleza, juegos y celebraciones. Una de las cosas que están descubriendo es que limitar el acceso a los medios electrónicos da como resultado una vida familiar más calmada al tiempo que más activa y enriquecedora en la que los niños pueden medrar. Harry, un chico de 19 años que iba a un colegio especial, decía de la familia que lo alojaba: «Aquí se está tranquilo, no como en casa, donde tenemos cinco televisores. Pero aquí me lo paso mejor porque organizamos juegos, comemos juntos y hablamos».

La ayuda también puede venir de organizaciones de apoyo como la Alliance for Childhood, que insta a las familias y a los colegios a proporcionar los elementos esenciales para una infancia sana. Recomiendan obedecer a las necesidades básicas de la infancia, corroboradas tanto por la investigación como por el sentido común:

- Relaciones estrechas y cariñosas con adultos responsables.
- Actividad al aire libre, exploración de la naturaleza, jardinería y otros encuentros directos con la naturaleza.
- Sacar tiempo para el juego no estructurado, especialmente el de «hacer como si», como parte de la educación básica para niños pequeños.
- Música, teatro, marionetas, danza, pintura y demás artes, ofrecidas como clases separadas y como una especie de «levadura» para sacar más provecho de las restantes asignaturas académicas.
- Lecciones prácticas, manualidades y otras actividades atractivas, que literalmente constituyen la preparación más efectiva para las ciencias, las matemáticas y la tecnología.
- Conversación, poesía, narración de cuentos y lectura de libros en voz alta con adultos queridos.[3]

Los profesores están haciendo cuanto está en su mano como educadores, y son conscientes de lo que se espera de ellos: que saquen adelante cada vez a más niños con dificultades sociales, de aprendizaje y de conducta. Lo que más los ayudaría no es la tecnología, sino el cumplimiento de más necesidades básicas, como clases de tamaño reducido, más profesores para alumnos especiales, más dinero para libros y alfabetización, reparaciones de los edificios escolares, fondos para más actividades artísticas y artesanales, teatro, jardinería, cocina, educación ambiental, deporte y lecciones de música. La principal preocupación de los profesores es que las grandes cantidades de dinero invertidas por el gasto público en comprar y mantener tecnología informática se les resta a otras actividades tan importantes como las artes. Muchos profesores estarán de acuerdo con Steve Jobs, de Apple Computers, que decía lo siguiente:

«Probablemente yo haya distribuido más equipos informáticos a los colegios que nadie en el planeta. Pero he llegado a la conclusión de que el problema no lo puede resolver la tecnología. Lo que está averiado en la educación no lo puede reparar la tecnología. Por mucha tecnología que haya, no se va a reducir el problema».[4]

Los profesores y los padres también están al tanto de las investigaciones de ilustres académicos, y recurren a los más recientes estudios para justificar un uso más acertado de los medios. Por ejemplo, los padres del mundo entero están cada vez más preocupados por los efectos de la violencia que se ve en la televisión, los vídeos y los videojuegos. Un estudio reciente llevado a cabo por Thomas Robinson, de la universidad de Stanford, California, ha demostrado que apagar el televisor reduce significativamente los niveles de agresividad infantil. 225 niños de edades comprendidas entre los 8 y los 9 años veían la televisión un promedio de 15,5 horas semanales, más 5 horas de vídeos, y además jugaban 3 horas con videojuegos. Un grupo dejó de ver la televisión durante diez días y luego se limitó a verla sólo 7 horas a la semana. Este grupo mostró una reducción en la conducta violenta de un 25%. «La mejor noticia es que si usted ayuda a sus hijos a reducir su exposición a los medios... verá que se reduce su conducta agresiva.» Robinson sugería que desaparecieran los televisores o los ordenadores personales de los dormitorios y que los padres acordaran con su hijos un plan semanal para ver la televisión o el vídeo.[5]

Los padres, que están hartos de la comercialización de las Navidades, han echado desde siempre la culpa a los anuncios televisivos. Pues bien, ahora esa «culpa» ya es oficial: cuantos más anuncios ven los niños, más regalos navideños quieren. En Gran Bretaña, donde los niños ven una media de 18.000 anuncios al año, quieren muchos más productos que en Suecia, donde está prohibida la publicidad para niños en la televisión. Investigadores de la universidad de Hertfordshire comentaban lo siguiente: «Los padres que permiten a sus hijos ver mucho la televisión para que les hagan la vida más "fácil", en realidad, a la larga se crean más problemas a sí mismos».[6]

La gente de algunas comunidades también se pregunta cómo diseñar y mantener unos barrios que faciliten la vida familiar, pues criar a un niño es cosa de todo un pueblo. Una de las razones que aducen es la seguridad infantil: en Gran Bretaña, por ejemplo, el número de muertes y accidentes en la carretera sufridos por los niños ha descendido considerablemente en los últimos años, pero sólo porque los padres mantienen a sus hijos alejados de las calles o los llevan en coche al colegio. De modo que en Gran Bretaña, cuando las ciudades, los pueblos y los barrios evalúen los espacios de los que disponen, un factor clave recurrente es el de rediseñar espacios públicos orientados a las necesidades de los niños.

Asimismo, las comunidades vinculan los videojuegos violentos con los muertos en carretera y con el crimen violento. Jan Wildman es una madre de Gloucester cuya hija Cassie fue atropellada por un coche mientras cruzaba la calle. Wildman asocia este tipo de muertes con los videojuegos *Carmageddon* y *Grand Auto Theft*, y hace vigorosas campañas en las tiendas locales para que dejen de vender tales juegos.[7] El videojuego sucesor de *Grand Auto Theft*, *Grand Auto Theft City*, para la Play Station 2, fue el título que más se vendió en Inglaterra en 2002, con un total de 10 millones de libras en ventas poco después de su lanzamiento. Este bestseller especialmente violento lleva la calificación «X», que significa «para mayores de 18 años»; sin embargo, encabezaba la lista de los deseos navideños de muchos niños de 10 años, que intentaban adquirirlo para no ser menos que los otros niños de su edad. Los jugadores pueden adoptar el papel del gángster Tommy, que se pasea en coche buscando violencia, por ejemplo, arollando a un repartidor de pizzas y, luego, dando marcha atrás para atropellarlo.[8]

La presión pública para clasificar obligatoriamente todos los videojuegos con etiquetas muy claras que informen a los padres, se está extendiendo por toda Europa. Pero también hay un caso de censura o incluso de prohibición de videojuegos como *Hooligans, Storm over Europe* y *Carmageddon*. De todos modos, el ministerio de interior del gobierno británico sigue tergiversando los vínculos existentes entre la violencia informática y la creciente conducta agresiva de los niños.[9]

La afirmación de que no están probados los vínculos entre la violencia mediática y la conducta, por lo general, la sostienen hipócritamente los apologistas de la violencia de los medios, y, por supuesto, los fabricantes de videojuegos. Juegos como *Doom* o *Quake* zambullen al jugador en un mundo tridimensional en el que hay que matar para sobrevivir: «... pocas cosas en la vida son tan estimulantes como dar vueltas y pegar bofetadas a diestro y siniestro hasta el día del Juicio Final, y ver saltar las tripas con tanto realismo que casi se puede sentir la sangre húmeda.»[10] *Doom* fue actualizado por los marines estadounidenses con el fin de entrenar a las tropas para matar, de modo que los soldados jugaban al *Doom* para sentirse como si estuvieran en una guerra, donde hay que matar de un solo disparo. El teniente coronel Dave Grossman cita tales ejemplos en el proceso que se sigue en Estados Unidos contra los fabricantes de videojuegos por la matanza masiva del colegio Paducah por el adolescente de Kentucky, Michael Carneal. La reciente película *Bowling for Columbine*, de Michael Moor, explora este tema más detenidamente.

A diferencia del gobierno británico, la catedrática Elizabeth Newson, de la universidad de Nottingham, presentó argumentos convincentes para defender que la violencia de los vídeos había sido un factor que contribuyó a la tortura y homicidio de James Bulger, de 2 años, por Jon Venables y Robert Thompson, de 10 años, en febrero de 1993. Citaba varios estudios autorizados que demostraban los vínculos y dijo que hay un nutrido grupo de investigadores en todo el mundo que han publicado más de 1.000 informes asociando la excesiva exposición a la violencia mediática con la conducta agresiva. En su opinión, debería haber mucha más investigación para mantenerse a la altura de la aceleración del contenido violento en todas sus formas interactivas.

El catedrático Newson también concluye diciendo que es necesaria una estricta regulación del material violento de los medios para proteger a los niños de un potencial abuso:

«Muchos de nosotros valoramos en gran medida nuestros liberales ideales de la libertad de expresión, pero ahora estamos empezando a darnos cuenta de que éramos unos ingenuos y fracasamos al predecir el alcance que tendría el material nocivo y su fácil acceso a los niños. Muchos de nosotros preferiríamos confiar en la discreción y la responsabilidad de los padres a la hora de vigilar el tiempo que sus hijos ven la televisión y de mostrarles claramente su propia angustia cuando presencian escenas de brutalidad sádica; sin embargo, por desgracia, es evidente que muchos niños no pueden confiar en sus padres en este sentido. Para restringir el uso de ese tipo de material en las casas, la sociedad debe asumir la responsabilidad de proteger a los niños de esta y de otras formas de abuso infantil».[11]

Steve Jobs, de Apple Computers, sostenía más arriba que los problemas escolares no pueden resolverse sólo con la tecnología. Sin embargo, el proyecto de los políticos, los medios electrónicos y las compañías de informática de introducir la cultura de la pantalla en las casas y en los colegios, todavía sigue en vigor. La presencia de la tecnología informática en casas y colegios, si bien es valiosa como herramienta, puede ser fácilmente contemplada por los políticos como una solución mágica, como una panacea simplista, como un desvío de la compleja tarea de criar a los niños y proporcionarles una educación creativa en el contexto de un entorno grato.

Sin embargo, incluso en las compañías de alta tecnología, los directivos lamentan el hecho de que el personal, aun estando en mesas cercanas, se envían unos a otros e-mails en lugar de hablar, y algunos utilizan el correo electrónico hasta tres horas al día. De ahí que ahora los directivos estén «al borde de un ataque» y vean que su trabajo consiste en hacer posible la conversación entre la gente, para lo cual envían al personal a hacer cursos de cuentacuentos dirigidos por narradores profesionales o por actores, para mejorar su capacidad de comunicación. Y así se llega a un círculo vicioso: la enriquecedora dieta para el desarrollo a base de juego, desarrollo lingüístico y aprendizaje social y creativo en el parvulario y en los colegios de primaria es, primero, reemplazada por los medios electrónicos; luego, sin embargo, se vuelve a los cuentacuentos para directivos y personal de alta tecnología ¡porque carecen de capacidad comunicativa! Como dicen ahora: «Todo lo que he aprendido lo he aprendido en el jardín de infancia, sólo que ahora se llama *jardín de alta tecnología*».

Una y otra vez, los padres y los educadores de Gran Bretaña y Norteamérica han defendido la abolición de la publicidad dirigida a niños. Por ejemplo, la doctora Susan Linn, del Judge Baker Children's Centre of the Harvard Medical School, escribe lo siguiente:

«Debido a la confluencia de la sofisticada tecnología de los medios electrónicos con la glorificación del mercado libre, resulta difícil proporcionar a los niños el tipo de entorno que describe Winnicott [es decir, un cuidado sensato de los hijos, amor, seguridad y «espacio transicional» seguro para la creatividad y el crecimiento]. Los niños norteamericanos son asaltados por el ruido de la publicidad y las cosas que ésta vende desde que se levantan hasta que se acuestan. El espacio para sus propias ideas, sus propias imágenes e interacciones con letras o pinturas se reduce con cada éxito taquillero, película infantil o programa de televisión, que inevitablemente vienen acompañados de juguetes, libros de ilustraciones, vídeos, cintas y ropa».[12]

Su solución es hacer una campaña pública con varios colegas para detener la explotación comercial de los niños a base de eliminar el marketing dirigido a niños menores de 8 años. Los objetivos de esta campaña —SCEC— están explicados en el recuadro 17.

Recuadro 17

Basta ya de explotación comercial de los niños (SCEC)

«¡Los niños se merecen poder crecer libres de toda explotación comercial!»

Para proteger la salud y el bienestar de nuestros hijos, SCEC reclama a los legisladores nacionales y a los políticos lo siguiente:

- Hacer de los colegios zonas libres de publicidad.
- Llevar a cabo investigaciones acerca de las consecuencias psicosociales y sanitarias del marketing en los niños.
- Fijar los mismos estándares federales para utilizar niños en la investigación académica.
- Exigir a la Federal Trade Commission que investigue las prácticas del marketing corporativo dirigidas a los niños.
- Volver a implantar las regulaciones de la Federal Communications Commission, que prohíben aprovechar los programas televisivos para promocionar algunos productos.
- Fijar estándares de evaluación uniformes y específicos para cada edad en todos los medios y los «subproductos», incluidos los juguetes y la comida.
- Eliminar el marketing para niños menores de 8 años.

(véase www.commercialexploitation.com)

En Europa, la ley sueca va más allá de lo que propone la SCEC, pues prohíbe la publicidad televisiva dirigida a niños menores de 12 años. Lars Maren, del ministerio de cultura de Suecia, escribe que la ley sueca sobre la publicidad para niños es como sigue:

- Los anuncios de la televisión no deben tener el propósito de atraer la atención de los niños menores de 12 años.
- Los personajes que tienen un papel destacado en los programas infantiles no deben aparecer en los anuncios televisivos.
- Los anuncios no se deben emitir durante los descansos de los programas infantiles ni inmediatamente antes o después.[13]

Los políticos y las autoridades suecas intentaron sin éxito que la Unión Europea hiciera más severa la publicidad orientada a los niños, proponiendo, en primer lugar, que se prohibiera la publicidad televisiva dirigida a los menores de 12 años y, en segundo lugar, que se suprimiera la palabra «directamente» del artículo 16: «La publicidad televisiva... se ajustará a los siguientes criterios: no deberá exhortar directamente a los menores a comprar un producto o un servicio a base de explotar su inexperiencia y su credulidad».[14]

Así pues, la principal protección para nuestros hijos sería *prohibir toda forma de publicidad y de patrocinio comercial* dirigidos a niños menores de 12 años, como se practica actualmente en Suecia con la publicidad televisiva, pero aplicado a todos los medios. Eso ayudaría a poner freno a la comercialización de la infancia, a base de quitar toda una serie de programas de la televisión infantil, de los videojuegos y de los programas informáticos que tengan anuncios de texto en la parte baja de la pantalla, así como la publicidad indirecta de la ropa, de los vídeos, de los videojuegos, de las bebidas «basura», de los productos suministrados a través de las películas taquilleras y de los programas con ropa y marcas de diseño.

Una acción tan radical como ésta pondría una barrera protectora en torno a la cultura de la infancia. Al mismo tiempo, un impuesto especial sobre la publicidad de refrescos y comida basura podría dedicarse especialmente a actividades sociales, comunitarias, creativas, ambientales, deportivas y educativas, así como a proyectos que mejoren la calidad de vida de los niños. Este impuesto supondría una especie de revancha creativa frente al «poder de incordiar» de los hijos, desencadenado por los anunciantes y que afecta ya a varias generaciones de padres.

Una de las principales razones para prohibir la publicidad dirigida a los niños es que protegería a éstos del comercialismo, pero también existen otras razones poderosas.

En primer lugar, Stuart Ewen, sociólogo neoyorquino y autor de *The Public Mind and All Consuming Images*,[15] considera que los medios electrónicos crean «la oportunidad de guiar el pensamiento y la conducta de las personas de una manera que no tiene precedentes. El público se reúne en los espacios privados, como el cuarto de estar, con los ojos y los oídos apuntando en la misma dirección». (Ewen se refería a los acontecimientos del 11 de septiembre y a la «guerra contra el terrorismo».) Los niños no deberían estar sometidos a esa manipulación hasta la adolescencia, cuando fueran capaces de ejercitar la capacidad de selección y el juicio independiente.[16]

Una segunda razón para prohibir la publicidad dirigida a los niños es la que aduce Edward Bernays, el fundador americano de las relaciones públicas que, como sobrino de Sigmund Freud, creía que la conducta humana estaba considerablemente influida por instintos y emociones irracionales. Definió las «relaciones públicas» como la «ingeniería del consentimiento». Los anunciantes saben desde hace tiempo que la televisión es una herramienta de marketing tan persuasiva, que la mayor parte de los niños pequeños se creen lo que cuentan de los productos. El experto en marketing James McNeal describe el poderoso efecto que tiene la publicidad en los niños:

«Los niños menores de ocho años creen incondicionalmente en la publicidad, tienden a verla como una parte lógica de la programación y no suelen percibir la intención de vender. La publicidad dirigida a niños es prácticamente sólo emoción y persuasión. Los anunciantes despliegan toda su creatividad para crear un entorno de fantasía... y apenas reparan en informar a los niños expresándose de manera que éstos lo puedan entender. Los publicistas tienen la habilidad para convencer a los niños para que les guste y deseen prácticamente cualquier producto, si bien esta habilidad se aplica principalmente a los juguetes y a las comidas azucaradas... A los niños habría que contemplarlos como unos consumidores superespeciales que se merecen un trato muy especial por el sistema de marketing. Esto es necesario durante un breve período de tiempo, mientras los niños se convierten en consumidores completamente cualificados, lo que sin duda garantizará unos clientes más felices y más efectivos para todos los directores de marketing durante toda la vida».[17]

En tercer lugar, como ya hemos discutido con anterioridad, Fred y Merrelyn Emery, eminentes psicólogos australianos, examinaron los efectos de la televisión/CRT en los humanos y dedujeron que «desconecta» nuestros cerebros, a diferencia, por ejemplo, de la lectura, con la que ocurre todo lo contrario. Los anunciantes lo saben, por supuesto, y por eso utilizan imágenes poderosas que nos provoquen sensaciones resonantes y positivas, que luego evocamos al ver el producto en los estantes. Los niños necesitan protección de este mensaje electrónico.

En cuarto lugar, el deseo de comida basura, que actualmente es una gran amenaza para la salud pública de los niños, está implantado a través de los medios electrónicos.

Un quinto argumento en contra de la publicidad dirigida a los niños concierne al objetivo de los anunciantes de controlar las mentes infantiles de por vida, a una edad a la que los niños son vulnerables y les resulta difícil, cuando no imposible, apagar la televisión y oponer resistencia a los sutiles mensajes publicitarios. *Toda sociedad razonable e instruida que ponga la salud y el bienestar de los niños por encima de los intereses comerciales sin duda tiene derecho a frenar esta injustificada intrusión en las vidas de los niños.*

En sexto lugar, los anunciantes, a no ser que se les frene por ley, influirán cada vez más en las decisiones de los niños en materia de comprar y de llevar un estilo de vida determinado. Su objetivo es controlar la vida y el espacio cultura de los niños y de los adolescentes. Naomi Klein cuenta, por ejemplo, que una compañía como Nike primero «saqueó» la cultura juvenil de los guetos de negros y luego explotó el «buen rollito» para vendérselo a otros adolescentes. Un anunciante llamado David Lubars creía que su principio de la industria era tratar a los consumidores como cucarachas: «Las rocías una y otra vez con un pulverizador hasta que, al cabo de un rato, se vuelven inmunes». Así pues, no dejemos que «pulvericen» a nuestros hijos y a la gente joven con trucos para vender más...[18]

En séptimo lugar, aunque Internet es un logro enorme que facilita una comunicación efectiva global, actualmente se está deteriorando debido al diluvio de *spam* no solicitado, de correos electrónicos basura y de pornografía. El hijo de un amigo buscó inocentemente por Internet «pájaros carpinteros» e inmediatamente fue bombardeado por la pornografía. Otra familia tenía el ordenador conectado a Internet en la cocina, de modo que los padres pudieran vigilar su uso. Si hicieron eso fue porque cuando su hijo de 9 años abrió accidentalmente un e-mail de apariencia inocente, se descargó por defecto el mensaje pornográfico en la página principal. Aunque están a la venta muchos filtros de software que evitan la pornografía y la violencia, también debería haber una regulación estricta, cuando no una prohibición, de la violencia y la pornografía de Internet.

Por último, suprimir la publicidad dirigida a niños y adolescentes evitaría lo que es una de las grandes causas de estrés en las familias. Los padres estarían encantados de ver la desaparición del «poder de incordiar» derivado de la publicidad. Tal prohibición ahorraría también un montón de dinero a los padres y liberaría el espacio cultural de los niños.

Así pues, para concluir, cuando los padres controlan los medios electrónicos, están ayudando a sus hijos a que tengan una infancia. También es importante limitar el acceso a los medios hasta que los niños sepan leer, escribir bien, jugar solos, tener intereses o aficiones y tomar decisiones acertadas, ya que los medios electrónicos son, como ya hemos visto, poderosamente adictivos y «roban» muchísimo tiempo. Los colegios también pueden optar por limitar el uso de los medios electrónicos durante los primeros años, cuando los elementos esenciales del desarrollo natural de una infancia vulnerable son absolutamente vitales.

De todos modos, limitar el acceso de los medios electrónicos a las familias y al colegio no es sólo una decisión privada, sino también un asunto político global. Los padres indonesios están igual de preocupados por el impacto de la violencia mediática y de la publicidad en sus hijos que las familias británicas y americanas. En términos generales podría decirse que un ejército bien pagado de expertos en marketing y psicólogos ha colonizado, en provecho propio, el espacio cultural de las familias, los colegios y la infancia. Si prohibimos *cualquier* forma de publicidad dirigida a niños y jóvenes, seremos capaces de recuperar la infancia de las compañías que están utilizando a los niños en su propio provecho.

Una triste realidad de la moderna vida corporativa es que el único lenguaje que parecen entender los expertos en marketing y las corporaciones es la legislación y la regulación coercitiva. Basta fijarse, por ejemplo, en la franqueza de Bud Konheim, presidente de Nicole Miller Inc., una compañía de ropa, cuando admitía: «En esta industria, la única razón para cambiar es que alguien tenga una enorme aguijada que te pinche todo el rato en el culo».[19] Y para aquellos que duden de la practicabilidad de tal intervención política en el mundo de los grandes negocios, por suerte tenemos donde apoyarnos: en la ley sueca sobre la publicidad. La prohibición de la publicidad dirigida a los niños será la mayor revolución cultural y tendrá un enorme potencial para que los niños vivan en libertad.

En cualquier caso, un impuesto, digamos, del 10% del gasto en publicidad, también podría dedicarse exclusivamente a unos fondos benéficos infantiles que repartieran donaciones a grupos comunitarios y colegios orientados a enriquecer la vida de los niños con actividades artísticas, deportivas, ambientales, sociales y educativas. Esto al menos podría compensar un poco el impacto negativo de tantos años de manipulación mediática sin regular —y a menudo aplicada sin escrúpulos— de las vidas y el desarrollo de nuestros hijos. Y quizá, lo más importante de todo: podría favorecer *la recuperación de la infancia* a través de una auténtica explosión de actividades creativas y comprometedoras de las que se beneficiarían potencialmente *todos* los niños, ya que esa profunda —y desesperadamente necesitada— transformación cultural tendría la oportunidad de echar raíces y crecer.

Para concluir, el mensaje central de este libro es que los padres *pueden* influir en la experiencia de la infancia de sus hijos, sabiendo que *no* somos víctimas desvalidas de la maquinaria mediática ni de los desalmados imperativos tecnológicos, y que podemos asumir la responsabilidad de proteger a nuestros hijos de los peores excesos de una cultura tóxica de la pantalla. Sin duda, Neil Postman quería decir algo parecido cuando escribió:

«Hay padres... que están desafiando a las directrices de su cultura. Esos padres no sólo están contribuyendo a que sus hijos tengan una infancia... Esos padres... contribuirán a mantener viva la tradición humana. [Nuestra cultura] está a punto de olvidar que los niños necesitan una infancia. Los que insisten en recordarlo prestarán un noble servicio».[20]

Notas y referencias

Prólogo

1. Mencionado en «Screen violence is killing us», *Harvard Magazine*, noviembre-diciembre de 1993, p. 42.

Capítulo 1

1. Véase http://www.commercialexplotation.com/facts_about_marketing; y *The Lancet*, vol. 360, n.º 9338, 28 de septiembre de 2002, p. 959.
2. Faith McLellan, «Marketing and advertising: harmful to Children's health», *The Lancet*, ibíd., p. 1.001.
3. Ibíd.
4. Véase, por ejemplo, C. Clouder, S. Jenkinson y M. Large (editores), *The Future of Childhood*, Hawthorn Press, Stroud, Gran Bretaña, 2000, pp. 91-92.
5. Independent Television Commission, *Television: The Public's View*, Londres, julio de 2001.
6. Sonia Livingstone, «Young people, new media», entrevistada por Peter Gliesen, *Interactions*, noviembre-diciembre de 1999. Véase también Sonia Livingstone, Press Release, 27 de junio de 2001, «UK children are Europe's biggest screen gazers»: y su *Young People and New Media*, Sage, Londres, 2002. Véase también http://www.lse.ac.uk/depts/media/people/slivingstone/index.html
7. Ros Coward, «Room with view», periódico *Guardian*, 4 de marzo de 1998; Janine Gibson, periódico *Guardian*, 19 de marzo de 1990.

8. Tim Philips, «King of the classroom», periódico *Guardian*, 22 de enero de 1998.

9. Véase, por ejemplo, Sally Jenkinson, *The Genius of Play*, Hawthorn Press, Stroud, Gran Bretaña, 2001, p. 167.

10. Véase, por ejemplo, www.tvturnoff.org; también Jenkinson, ibíd. pp. 167-169.

11. Véase, por ejemplo, *A Spoonful of Sugar*, Consumers International (24 Highbury Crescent, Londres N5 1RX), 1997.

12. Jerry Mander, Schumacher Lecture, *Resurgence*, n.º 165, 1994.

13. Citado en *The White Dot* (Brighton, Reino Unido), II edición, abril de 1998.

Capítulo 2

1. Jerry Mander, *Four Arguments for the Elimination of Television*, William Morrow, Nueva York, 1997. Véase también J. Mander, *In the Absence of the Sacred*, Sierra Book Club, San Francisco, 1991; y www.adbusters.org

2. J. Mander, «The tyranny of television», Schumacher Lecture, parte II, revista *Resurgence*, n.º 165, julio-agosto de 1994.

3. Véase Bernard McGrane, *The Zen TV Experiment* en www.adbusters.org

4. Véase Mander, *Four Arguments for the Elimination of Television*, op.cit., p. 159.

5. www.adbusters.org, op.cit.

6. Adaptado de «Screen tests», *New Internationalist* (Oxford, Reino Unido), enero de 1983, pp. 16-17. Véase también *Let's get Critical: A Media Literacy Toolkit for Parents, Kids and Teachers* en www.mediachannel.org/getinvolved/teachkids.shtml

7. M. Winn, *The Plug-In-Drug*, Bantam Books, Nueva York, 1977.

Capítulo 3

1. Las dos historias fueron personalmente contadas al autor por Russell Evans, 2002.

2. David Elkind, *Growing Up Too Fast Too Soon*, Addison-Wesley, Rading, Massachussts, 1981.

3. Dr. Frederic Leboyer, *Birth without Violence,* Wildwood House, Londres, 1975.

4. R. M. Crosby, *Reading and the Dyslexic Child*, Souvenir Press, Londres, 1980.

5. Eva Frommer, *Voyage through Childhood into the Adult World*, Hawthorn Press, Stroud, Reino Unido, 1986, p. 23.
6. Frommer, *Voyage*, ibíd., p. 36.
7. John Gray, *Children are from Heaven*, Vermilion, Londres, 1999, capítulo 4.

Capítulo 4

1. Neil Postman está citado de una conferencia que dio en Harvard sobre los medios electrónicos, recogida en Todd Oppenheimer, «The computer delusion», *Atlantic Monthly*, julio de 1997, pp. 45-63.
2. Véase Martin Large, *Who's Bringing Them Up?*, Hawthorn Press, Stroud, Gran Bretaña, 1998, p. 63.
3. Rosie Waterhouse y Colin Brennan, «Children at risk of mobile phone radiation», *The Sunday Times*, 18 de noviembre de 2001, p. 19, recogido en la investigación de Om Gandhi, de la universidad de Utah.
4. Véase Colleen Cordes y Edward Miller, *Fool's Gold: A Critical Look at Computers in Childhood*, Alliance for Childhood, College Park, Maryland, 2000, p. 39. Véase también www.allianceforchildhood.net
5. F. Emery y M. Emery, *A Choice of Futures - To Enlighten or Inform*, n.º ACP 2600, Centre for Continuing Education, Australian National University (ANU), Canberra, 1975. Merrelyn Emery escribió su tesis doctoral acerca de lo mal que se adapta el cerebro humano a los CRT (M. Emery, «The Social and Neuropsychological Effects of Television and their Implications for Marketing Practice: An Investigation of Adaptation to the CRT», tesis doctoral de filosofía no publicada, ANU, Canberra, 1985).
6. Véase «Long-distance hypnosis», *New Internationalist* (Oxford), enero de 1985, pp. 24-25.
7. Citado en Joyce Nelson, *The Perfect Machine: TV in the Nuclear Age*, Between the Lines, Toronto, 1987.
8. Nelson, ibíd., p. 69.
9. *New Internationalist*, enero de 1985 (op.cit.), p. 25.
10. Nelson, op.cit., p. 70. Véase también H. Krugman, *Electroencephalographic Aspects of Low Involvement Implications for the McLuhan Hypothesis*, American Association for Public Opinion Research, 1970.
11. Emery, *A Choice of Futures*, op.cit.
12. Nelson, op.cit., p. 73.
13. K. Buzzell, *The Children of Cyclops*, Association of Waldorf Schools of

North America, Fair Oaks, California, 1998; Susan Johnson M.D., «Strangers in our homes: TV and our Children's minds», ponencia presentada en el Waldorf School de San Francisco, 1999.

14. J. Healy, *Endangered Minds: Why Children Don't Think and What We Can Do about It*, Simon & Schuster, Nueva York, 1990.

15. Tim Utton, «Is life in front of the screen making a spectacle of Britain?», *Daily Mail*, 26 de septiembre de 2002, p. 23.

16. Charles Krebs, *A Revolutionary Way of Thinking*, Hills of Content, 1998; (la cursiva es mía).

17. Healy, op.cit.

18. Sobre la obra de Sally Ward véase Peter Hitchens, «How TV harms the minds of our children», *Daily Express*, 11 de enero de 1996; Michael Patterson y Janet Boyle, «Too much TV "delays first words"», periódico *Scotsman*, 10 de enero de 1996. En 1996, la doctora Sally Ward desarrolló WILSTAAR, para el desarrollo del lenguaje, mientras estaba en el Mancunian Community Health Trust. Véase también Sally Ward, *Babytalk*, Century, Londres, 2000, para su programa sobre el habla infantil.

19. Sarah Bosely, periódico *Guardian*, 10 de enero de 1996.

20. Peter Hitchens, «How TV harms...», op.cit.

21. Patterson y Boyle, op.cit.

22. Audrey E. McAllen, 2002, entrevista con el autor.

23. Willy Aeppli, *The Care and Development of the Human Senses*, Steiner Schools Fellowship Publications, Forest Row, 1993, pp. 22-23. Véase también A. Soesman, *Our Twelve Senses,* Hawthorn Press, Stroud, Gran Bretaña, 1998.

24. H. D. Levinson, doctor en medicina, *A Scientific Watergate, Dyslexia*, Stonebridge Publishing Ltd., Lake Success, Nueva York, 1994.

25. Véase A. Hall, *Water, Electricity and Health*, Hawthorn Press, Stroud, Gran Bretaña, 1996.

26. James Gleick, *Faster: The Acceleration of Just abuot Everything*, Pantheon Books, Nueva York, 1999.

27. Kim Brooking Payne, *The Games Children Play*, Hawthorn Press, Stroud, Gran Bretaña, 1995. Véase el prólogo de Cheryl Sanders para este debate.

Capítulo 5

1. Frederic Leboyer, *Birth without Violence*, Wildwood House, Londres, 1975, p. 16.

2. J. N. Ott, *Health and Light*, Pocket Books, Nueva York, 1976.

3. Véase J. Mander, *Four Arguments for the Elimination of Television*, William Morrow, Nueva York, 1977, pp. 175 y 178.

4. «Those tired children», revista *Time*, 6 de noviembre de 1964.

5. Ott, ibíd., pp. 125-127.

6. Wurtman, citado en Mander, op.cit., p. 180.

7. Charles Krebs, *A Revolutionary Way of Thinking*, Hill of Content, 1998, p. 310.

8. Ibíd., p. 302.

9. Sobre cinesiología, véase Krebs, ibíd., y también el apéndice 3 sobre gimnasia cerebral.

10. US Environmental Protection Agency, *Office Equipment: Design, Indoor Air Emissions and Pollution Prevention Opportunities*, marzo de 1995.

11. Véase Colleen Cordes y Edward Miller, *Fool's Gold: A Critical Look at Computers in Childhood*, Alliance for Childhood, College Park, Maryland, 2000, p. 21.

12. Consúltese www.commercialexploitation.com, página web SCEC, Harvard Medical School, Boston.

13. S. Oates, G. Evans y A. Hedge, «A preliminary ergonomic and postural assesment of computer work settings in American elementary schools», *Computers in the Schools*, 14 (3-4), 1998, pp. 55-63; y L. Straker, K. Jones y J. Miller, «A comparison of the postures assumed when using laptop computers and desktop computers», *Applied Ergonomics*, 28, 1997, pp. 263-268.

14. Phyllis Weikart, *Round the Circle: Key Experiences Movement*, Ypsilanti, Michigan: High Scope Press, 1986 (la cursiva es mía), citado en A. Armstrong y C. Casement, *The Child and the Machine*, Key Porter Books, Toronto, Canadá, 1998, p. 63.

15. Carla Hannaford, *Smart Moves,* Great Ocean, Carolina del Norte, 1995, p. 97.

16. De una entrevista con Aonghus Gordon.

Capítulo 6

1. D. Burke y J. Lotus, *Get a Life! The Little Red Book of the Anti-Television Campaign*, Bloomsbury, Londres, 1996, pp. 189-190.

2. Robert D. Puttnam, «Tuning in, tuning out: the strange disappearance of social capital in America», The 1995 Ithiel de Soal Pool Lecture, *Political Science and Politics*, 28 (4), diciembre de 1995.

3. Sally Jenkinson, *The Genius of Play*, Hawthorn Press, Stroud, Gran Bretaña, 2001, p. 163.

4. Robert Kubey y Mihaly Csikszentmihalyi, «Television addiction is no more metaphor», *Scientific American*, febrero de 2002, pp. 62-68.

5. James Meikle, «Computer boy gets miner's white finger», periódico *Guardian*, 1 de febrero de 2002.

6. Jenkinson, *The Genius of Play*, op.cit., p. 97.

7. Tannis Macbeth Williams, *The Impact of Television*, Academic Press, Orlando, Florida, 1986.

8. Diane E. Levin, «Media, culture and the undermining of play in the United States», en E. Klugman (ed.), *Play, Policy and Practice*, Redleaf Press, St Paul, Minnesota, 1995, pp. 177-178.

9. Williams, op.cit.

10. Tim Hicks, artículo no publicado, Sebastopol, California.

11. Jane Healy, *Failure to Connect: How Computers Affect Our Children's Minds – for Better and Worse*, Simon & Schuster, Nueva York, 1998, p. 64.

12. M. Messenger Davis, *Television is Good for Your Kids*, Hilary Shipman, Londres, 1993, p. 192.

13. Committee on Communications, American Academy of Pediatrics, Policy Statemen: «Children, Adolescents, and Advertising» (RE9504), Chicago, American Academy of Pediatrics, 1995. También G. Stewart, «Doctors declare war on child ads», *Evening Standard*, 12 de noviembre de 1988, p. 12.

14. David Piachaud, «Present dangers», periódico *Guardian*, 19 de diciembre de 2002.

15. D. Singer y J. Singer, «Some hazards of growing up in a television environment: children's aggression and restlessness», en S. Oskamp (ed.), *Television as a Social Issue*, Sage, Londres, 1988, p. 185.

16. Véase Jenkinson, *The Genius of Play*, op.cit. Cifras recopiladas por TV-Free America, Connecticut Avenue, Noroeste Suite 3A, Washington DC 20009.

17. B. Centerwell, «Television and violence», *Journal of the American Medical Association*, 267, 1992, pp. 3059-3063.

18. Citado en Jenkinson, *The Genius of Play*, op.cit., p. 162.

19. Williams, op.cit.

20. W. A. Belson, *Television Violence and the Adolescent Boy*, Saxon House, Londres, 1982.

21. Williams, op. cit.

22. El catedrático Tony Charlton y sus colegas de la Universidad de Glouces-tershire, Cheltenham, dirigieron una serie de proyectos de investigación sobre la introducción de la televisión satélite en Santa Helena.

23. David Grossman, «Teaching kids to kill», en C. Clouder, S. Jenkinson y M. Large (editores), *The Future of Childhood*, Hawthorn Press, Stroud, Gran Bretaña, 2000, pp. 142-143.

24. Centerwell, op.cit.

25. Grossman, «Teaching kids to kill», op.cit., pp. 144-145.

26. Burke y Lotus, op.cit., pp. 179-183.

27. Jeffrey Johnson, Patricia Cohen, Elisabeth Smailes, Stephanie Kasen y Judith S. Brook, «Television viewing and aggressive behaviour during adolescence and adulthood», *Science*, enero de 2002; contactar con jjohnson@pi.cpmc.columbia.edu

28. Comunicación personal por e-mail con el autor, noviembre de 2002.

29. Las referencias de esta sección están extraídas de las siguientes fuentes: D. Grossman, «Teaching kids to kill», en C. Clouder, S. Jenkinson y M. Large (editores), *The Future of Childhood*, Hawthorn Press, Stroud, Gran Bretaña, 2000; D. Grossman, *Stop Teaching our Kids to Kill: A Call to Action Against TV, Movie and Video Game Violence*, Random House, Nueva York, 1999.

Capítulo 7

1. Todd Oppenheimer, «The computer delusion», *Atlantic Monthly*, julio de 1997.

2. David Roberts y Richard House, «Toys aren't us» (cartas), periódico *The Independent*, suplemento de educación, 18 de noviembre de 1999, p. 6.

3. C. Stoll, *High Tech Heretic*, Doubleday, Nueva York, 1999.

4. John Ezard, «TV puts paid to the nursery rhyme», *Guardian*, 11 de mayo de 1978.

5. Harry F. Waters, «What TV does to kids», *Newsweek*, 21 de febrero de 1977.

6. Richard DeGrandpre, *Ritalin Nation*, Norton, Nueva York, 2000, p. 158.

7. D. Bruke y J. Lotus, *Get a Life! The Little Red Book of the Anti-Television Campaign*, Bloomsbury, Londres, 1996, pp. 114-115.

8. Richard House, «Beyond the medicalisation of "challenging behaviour"; or protecting our children from "Pervasive Labelling Disorder"», revista *The Mother*, n.º 4-6, 2002-2003 (publicado en tres partes).

9. Jane Healy, *Endangered Minds: Why Children Don't Think and What We Can Do about It*, Touchstone/Simon & Schuster, Nueva York, 1990.

10. Colleen Cordes y Edward Miller, *Fool's Gold: A Critical Look at Computers in Childhood*, Alliance for Childhood, College Park, Maryland, 2000, p. 37.

11. Jane Healy, *Failure to Connect: How Computers Affect Our Children's Minds – for Better and Worse*, Simon & Schuster, Nueva York, 1998.

12. Sally Goddard Blythe, «In praise of song and dance», *Times Educational Supplement*, 23 de enero de 1998; «Music matters», *Music Teacher*, septiembre de 1998, p. 43. Véase también su libro aparecido en la serie «Early Years» de la Hawthorn Press, *The Well-Balanced Child*, 2004.

13. Sally Jenkinson, *The Genius of Play*, Hawthorn Press, Stroud, Gran Bretaña, 2001.

14. Healy, *Endangered Minds*, op.cit., p. 216.

Capítulo 8

1. Ian Murray y Damian Whitworth, «Older children should be limited to two hours viewing a day», *The Times*, 5 de septiembre de 1999.

2. E-mail de Dave Grossman al autor, 9 de enero de 2003.

3. *The Times*, editorial, 5 de septiembre de 1999.

4. Mary Braid, «From Pokemon to Plato», periódico *The Independent*, 2 de abril de 2002.

5. Cathy Drysdale, productora, BBC Radio 4 «Word of Mouth», notas de la entrevista con la doctora Sally Ward, 2 de agosto de 1996.

6. Dorothy Cohen, «Is TV a pied piper?», *Young Children Journal*, noviembre de 1974, pp. 12-13.

7. «What it feels like to be a girl», revista *Guardian Weekend*, 16 de noviembre de 2002; Lauren Greenfield, *Fast Forward: Growing up in the Shadow of Hollywood and Girl Culture*, Chronicle Books, 2002.

8. Jane Healy, *Endangered Minds*, op.cit., y *Failure to Connect*, Simon & Schuster, Nueva York, 1998; comunicación personal con el autor a través de un e-mail, 26 de noviembre de 2002.

9. Thomas Poplawski, «Taming the media monster», *Renewal*, vol. X, n.º 1, primavera-verano de 2001 (Fair Oaks, Sacramento, California).

Capítulo 9

1. John Harlow, «Cruise joins crusade to turn children off TV», *The Sunday Times*, 29 de septiembre de 2002, p. 28.
2. D. Bruke y J. Lotus, *Get a Life! The Little Red Book of the Anti-Television Campaign*, Bloomsbury, Londres, 1996.
3. Sally Jenkinson, *The Genius of Play*, Hawthorn Press, Stroud, Gran Bretaña, 2001.
4. Stephanie Cooper, Christine Fynes-Clinton y Marije Rowling, *The Children's Year: Crafts and Clothes for Children and Parents to Make*, Hawthorn Press, Stroud, Gran Bretaña, 1986.
5. Kim Brooking Payne, *Games Children Play*, Hawthorn Press, Stroud, Gran Bretaña, 1996.
6. Diana Carey y Judy Large, *Festivals, Family, and Food*, Hawthorn Press, Stroud, Gran Bretaña, 1982.

Capítulo 10

1. Sarah Cassidy, «Reading at home», *The Independent*, 20 de noviembre de 2002, p. 9.
2. Hay muchos libros y fuentes de información sobre cómo usar los ordenadores; por ejemplo, J. A. McClellan, *Parents' Guide to the Internet*, Atlantic Books, Londres, 2001. El capítulo 5 trata de cómo proteger a su hijo cuando esté conectado.
3. Jim Trelease, *The Read Aloud Handbook*, Penguin, Harmondsworth, 1994.
4. Neil Postman, *The Disappearance of Childhood*, Delacorte Press, Nueva York, 1982, p. 153.
5. Extraído de su *Charlie and the Chcolate Factory*, Penguin, Harmondsworth, 1964.

Capítulo 11

1. Matt Wells, «Repeat showings», *Guardian*, 15 de noviembre de 2001.
2. Nicci Gerrard, «What's worrying our kids?», *Observer*, 14 de febrero de 1999.
3. Colleen Cordes y Edward Miller, *Fool's Gold: A Critical Look at Computers in Childhood*, Alliance for Childhood, College Park, Maryland, p. 47.
4. Steve Jobs, *Wired Magazine*, febrero de 1996.

5. Ben MacIntyre, «Switching off TV cuts childhood aggression», *The Times*, 16 de enero de 2001.

6. J. Chapman, «Santa's extra long list», *Daily Mail*, 8 de noviembre de 2002.

7. H. Blow y G. Henderson, «Time to act over screen violence?», *The Citizen*, 16 de diciembre de 1997.

8. M. Nixon, «Boycott this sick Christmas game», *The Mail on Sunday*, 8 de diciembre de 2002.

9. K. Ahmad, «Age limits for children on violent video games», *Observer*, 29 de diciembre de 2002.

10. P. Keegan, «In the line of fire», *Guardian*, 1 de junio de 1999.

11. E. Newson, «Video violence and the protection of children», *The Psychologist*, junio de 1994.

12. S. Linn, «J. K. Rowling and the Golden Calf: Harry Potter Inc. Is about to mesmerise the market place», *Boston Globe*, 9 de julio de 2000.

13. E-mail enviado al autor el 20 de diciembre de 2002 por Lars Maren, del Ministerio de Cultura de Suecia. Véase también «Television without Frontiers Directive» en www.europa.eu.int/institutions/commission/audiovisualpolicy/regulatory framework/television and cinema; y el informe de Gunilla Jarlbro y Ehrling Bjurstrom en www.konsumentverket.se/In English/Books and booklets).

14. Lars Maren, ibíd.: www.europa.eu.int/institutions/commission/audiovisual/studies e informes sobre el impacto de los anuncios televisivos en los menores.

15. Stuart Ewen, *The Public Mind and All Consuming Images*, Nueva York. Véase también Stuart Ewen y Elizabeth Ewan, *Chambers of Desire: Mass Images and the Shaping of American Consciousness*, Nueva York, 1992.

16. Julia Hobsbawm, «How they all took us hostage», *Observer*, 16 de noviembre de 2001.

17. David Piachaud, «Present Danger», *Guardian*, 19 de diciembre de 1999.

18. Nami Klen, *No logo*, HarperCollins, Londres, 2001, p. 9.

19. Ibíd., p. 423.

20. Neil Postman, *The Disappearance of Childhood*, Vintage Books, Nueva York, 1994.

Bibliografía

Alliance for Childhood, *Fool's Gold: A Critical Look at Computers in Childhood*, College Park, Maryland, 2000.

Armstrong, A., y Casement, C., *The Child and the Machine: Why Computers May Put Our Children's Education at Risk*, Key Porter Books, Toronto, 1998.

Biddulph, S., *El secreto del niño feliz*, Edaf, Madrid, 1996.

Burke, D., y Lotus, J., *Get a Life*, Bloomsbury, Londres, 1998.

Buzzell, K., *The Children of Cyclops: The Influence of Television Viewing on the Developing Human Brain*, Association of Waldorf Schools of North America, Fair Oaks, California, 1998.

Carlsson-Piage N., y Levin D. I., *Who's Calling the Shots? How to Respond Effectively to Children's Fascination with War Play and War Toys and Violent TV*, New Society Publishers, Gariola Island, Vancouver, 1990.

Chilton Pearce, J., *Evolution's End: Claiming the Potential of Our Intelligence*, HarperCollins, San Francisco, 1992.

DeGrandpre, R., *Ritalin Nation: Rapid-Fire Culture and the Transformation of Human Consciousness*, W. W. Norton, Nueva York, 2000.

Elkind, D., *The Hurried Child: Growing Up Too Fast Too Soon*, Addison-Wesley, Reading, Massachusetts, 1981.

—, *Mis-education: Pre-schoolers at Risk*, A.A. Knopf, Nueva York, 1987.

Evans, R., *Helping Children to Overcome Fear: The Healing Power of Play*, Hawthorn Press, Stroud, 2000.

Healy, J. M., *Endangered Minds: Why Children Don't Think and What We Can Do about It*, Touchstone/Simon & Schuster, Nueva York, 1990.

—, *Failure to Connect: How Computers Affect Our Children' Minds – for Better and Worse*, Simon & Schuster, Nueva York, 1998.

Herman, E., S., y Chomsky, N., *Los guardianes de la libertad: propaganda, desinformación y consenso en los medios de comunicación de masas*, Crítica, Barcelona, 2003.

Jenkinson, S., *The Genius of Play: Celebrating the Spirit of Childhood*, Hawthorn Press, Stroud, 2001.

Klein, N., *No logo*, Paidós Ibérica, Barcelona, 2004.

Livingstone, S., *Young People and New Media*, Sage, Londres, 2002.

McClellan, J., *A Parent's Guide to the Internet*, The Guardian, Atlantic Books, Londres, 2001.

Mander, J., *Cuatro buenas razones para eliminar la TV*, Gedisa, Barcelona, 2004.

—, *En ausencia de lo sagrado*, José J. de Olañeta, Palma de Mallorca, 1996.

Medved, M., y Medved, D., *Saving Childhood: Protecting Our Children from the National Assault on Innocence*, HarperCollins, Zondervan, 1998.

Postman, N., *La desaparición de la niñez*, Círculo de Lectores, Barcelona, 1988.

Roszak, T., *El culto a la información*, Gedisa, Barcelona, 2006.

Sanders, B., *A is for Ox: The Collaps of Literacy and the Rise Of Violence in an Electronic Age*, Vintage Books, Nueva York, 1995.

Setzer, W., *Computers in Education*, Floris, Edimburgo, 1989.

Stoll, C., *Silicon Snake Oil*, Doubleday, Nueva York, 1996.

Winn, M.. *The Plug-in Drug*, Penguin, Nueva York y Londres, 1985.

La película de Michael Moore de 2002 *Bowling for Columbine* resulta muy relevante para el tema de la violencia y los medios, y constituye un excelente punto de arranque para la discusión. El director explora la matanza de trece alumnos y un profesor, el 20 de abril de 1999, por dos alumnos de la Columbine School, en Littleton, Colorado, y es un alegato contra la cultura de las armas en Estados Unidos.

Apéndice 1
Cómo proteger a los niños de Internet

Los peligros de la pornografía online, de desconocidos en los chats, de la violencia y de otros contenidos poco apropiados han sido ya muy discutidos. Sin embargo, un buen comienzo es tomar precauciones sensatas como tener el ordenador conectado a Internet en un espacio familiar compartido, como la cocina o el hall, donde usted pueda supervisar su uso. También sirve de mucha ayuda entender cómo funciona Internet y revisar sus potenciales riesgos.

Los riesgos para sus hijos son los siguientes:

- Los chats y las noticias para usuarios de la red pueden ser arriesgados; hay, por ejemplo, «depredadores cibernéticos» que acechan a su hijo o le embaucan para quedar con él en la vida real. Los acosadores cibernéticos pueden hostigar a los niños con amenazas de virus y con e-mails aterradores, así como pirateando sus ordenadores.
- Su hijo puede acceder a información como imágenes pornográficas y violentas, *gore*, material racista, teorías conspiradoras e información errónea que es peligrosa, perturbadora e inadecuada.
- Los niños pueden dar información particular sobre ellos mismos que puede ser utilizada para el marketing y por los acosadores cibernéticos.
- Los detalles de su tarjeta de crédito, si los niños tienen acceso a ella, pueden ser utilizados para comprar bienes ilegales.

Los niños también pueden causar daños y riesgos a otros. Se han dado casos de *bullying* (matonismo) online y de acoso de unos niños a otros. El ordenador familiar puede estar infectado de virus porque se hayan abierto e-mails desconocidos o se hayan visitado páginas arriesgadas. Los niños también pueden comprar online con su tarjeta de crédito o piratear ilegalmente los ordenadores de otros.

Estos riesgos se pueden reducir fácilmente con los simples métodos siguientes:

1. Coloque el ordenador familiar en un espacio social en el que usted pueda vigilar su uso.
   - Evite usar su cuenta de Internet del trabajo en casa. Prohíba a sus hijos proteger áreas del ordenador con una contraseña. Aprenda el funcionamiento del ordenador y evite dejar cualquier información personal importante, como las contraseñas informáticas o las tarjetas de crédito, a la vista o en un archivo del ordenador. No ponga en el dormitorio de los niños ni de los adolescentes ordenadores conectados a Internet.

2. Llegue a un acuerdo sobre las pautas para usar Internet en casa.
   - ¿Cuánto tiempo al día o a la semana quiere que sus hijos utilicen el ordenador y se conecten a la red? ¿A qué pueden acceder? Ponga unas normas fundamentales para su uso:
     – Un horario diario para estar conectado.
     – ¿Qué necesitan para hacer los deberes?
     – Que no utilicen el ordenador hasta que hayan hecho los deberes.
     – Llegue a un acuerdo con otros padres sobre el uso de Internet cuando sus hijos vayan de visita a casa de sus amigos.
     – Acuerde el tipo de páginas web que su hijo está autorizado a visitar y explíquele por qué cierto tipo de sitios no le están permitidos; procure que su hijo sea libre para discutir con usted qué pasaría si accediera accidentalmente a un material perturbador.
     – Discuta sobre los chats que puede usar su hijo y compruebe los debates que tienen lugar en un chat. (Para más información, consulte www.smartparent.org y www.chatdanger.com)
   - Fije unas reglas básicas y procure que no se infrinjan. Jim McClellan, en *A Parents' Guide to the Internet*, sugiere cinco. (Atlantic Books, Guardian, Londres, 2001, p. 251):

«Cinco reglas para niños

1. Nunca des información personal o privada sin el permiso de tus padres.
2. No des nunca la contraseña de la cuenta a nadie que entre en contacto contigo mientras estés conectado, diciendo que es de tu Proveedor de Servicios de Internet (ISP). Un empleado/funcionario de verdad de tu ISP nunca te pedirá información online.
3. No quedes nunca con un amigo online en la vida real, a no ser que esté presente tu mamá o tu papá u otro adulto de tu confianza.
4. No contestes nunca a e-mails o mensajes de chat amenazadores u obscenos. Guárdalos y luego enséñaselos a tu madre o tu padre o a otro adulto que se lo pueda contar a tus padres o a las autoridades competentes.
5. Si encuentras algo o a alguien online que te moleste o te asuste, cuéntaselo a alguien.»

Yo personalmente añado una sexta regla: normalmente no abro nunca e-mails ni documentos adjuntos no solicitados, a no ser que sepa quién los envía, por el peligro del spam, el correo basura, los virus, la intrusión comercial y la pornografía. También conviene usar un ISP que elimine el spam, si es que puede encontrarlo.

Discuta estas reglas básicas con su hijo para que sepa que así está más seguro, y dígale por qué son vitales.

Éstas son las normas de seguridad básicas para utilizar Internet, pero también es importante que navegue con su hijo y le enseñe el manejo de la red, siendo por ejemplo crítico con las ofertas gratuitas y precavido con quien conozca a través de Internet, observando las reglas básicas para las discusiones de los chats y pensándoselo dos veces antes de apretar el botón de ENVIAR.

Más allá del alcance de este libro hay otras cosas que considerar, como por ejemplo el software que sirve para filtrar Internet. Por otra parte, libros como *Parents' Guide to the Internet*, de Jim McClellan, ofrece muchas sugerencias sobre cómo sacar el máximo partido de Internet como fuente, dentro del contexto británico. Para Norteamérica, consulte *The Parent's Guide to Protecting Your Children in Cyberspace*, Parry Aftab, McGraw Hill, que también proporciona información sobre la seguridad de los niños que utilizan Internet.

Apéndice 2

Campaña para prohibir la publicidad dirigida a los niños

No es sorprendente que la industria de la publicidad británica, americana y europea, dada la procedencia de sus beneficios, esté muy preocupada por el creciente movimiento entre padres, educadores, médicos y políticos para restringir la publicidad dirigida a niños. El bienestar de los niños les preocupa menos que la amenaza de prohibir la publicidad dirigida a ellos. Así pues, los anunciantes están presionando activamente y haciendo campaña en contra de una mayor restricción en la publicidad.

De modo que nuestros políticos necesitan que los ayudemos a contrarrestar esa presión. En Gran Bretaña por ejemplo, Deborah Shipley, miembro del Parlamento, ha conseguido firmas de más de 100 parlamentarios para su Early Day Motion, con el fin de que el Parlamento prohíba la publicidad dirigida a niños menores de cinco años. Existe un movimiento europeo de políticos que quieren aplicar la prohibición a toda Europa. La modificación de la *EU Television without Frontiers Directive,* de entre 2000 y 2004, podría contener restricciones y mecanismos para introducir una prohibición, si el público presionara a sus políticos nacionales y europeos para que la apoyaran activamente frente a la presión de la industria publicitaria.

Al mismo tiempo que se hace la campaña para prohibir la publicidad televisiva para niños menores de doce años, se están discutiendo otras prohibiciones como la de anunciar productos que atraigan a los niños, frenar el uso de personajes vestidos con ropa de marca, utilizar a los niños para anunciar cualquier producto, anunciar en la radio o en el cine, usar material patrocinado en los colegios, así como publicidad dirigida a los niños a través de los teléfonos móviles y de Internet.

Existen muchos precedentes en lo relativo a restringir la publicidad para niños. En Europa, Suecia ha prohibido la publicidad para niños menores de doce años y no hay anuncios en los programas infantiles, si bien la televisión por satélite que les llega de Inglaterra incluye anuncios. El ministerio de cultura sueco quiere que los niños sean declarados una «zona libre de anuncios». Grecia prohíbe anunciar juguetes por televisión y está discutiendo sobre la posibilidad de prohibir la publicidad para menores de 18 años. Bélgica ha prohibido la publicidad dirigida a niños; primero en la parte flamenca y ahora en la parte francesa del país. Dinamarca prohíbe la publicidad cinco minutos antes y después de los programas infantiles. Irlanda, que tiene una estricta censura, prohíbe todos los anuncios durante los programas infantiles. Italia prohíbe la publicidad durante los dibujos animados y hace una pausa entre anuncios de un mínimo de veinte minutos. Polonia prohíbe todo tipo de marketing para niños en la televisión y en la radio, y Noruega a su vez prohíbe la publicidad televisiva dirigida a los niños.

ISBA, vortavoz de los anunciantes británicos, «se toma muy en serio la amenaza de la publicidad y de los niños». (ISBA Briefing Paper, mayo de 2002, *Advertising to Children*, de Joe Lamb.) ¿Cabe pensar entonces que Joe Lamb, de ISBA, considere que prohibir la publicidad infantil es una amenaza para los niños? Sin duda, es una amenaza para la industria publicitaria, e ISBA argumenta a favor de contrarrestar la restricción o la prohibición de la publicidad dirigida a niños, basándose en tres puntos principales. En primer lugar, dicen que «desde una edad temprana, los niños entienden el papel que desempeña la publicidad. Tienen derecho a acceder a la información y no se les debería recortar artificialmente lo que es una parte importante de la vida moderna».

Joe Lamb, sin embargo, fue incapaz de contestar a una pregunta concreta que le hicieron: «¿A qué edad entienden los niños el papel que desempeña la publicidad?». Lamb admitió que en realidad no era un experto en ese tipo de cuestiones. Según él, los niños tienen derecho a acceder a la información, pero se niega a explicar con claridad la diferencia entre una información presentada con neutralidad y los anuncios con intención persuasiva. ¿Qué quiere decir cuando afirma que a los niños «no se les debería recortar artificialmente lo que es una parte importante de la vida moderna»? Si la sociedad decide regular la publicidad, por ejemplo prohibiendo las vallas publicitarias en las calles o los anuncios de tabaco, ¿qué hay de artificial en ello? Además, la publicidad puede ser «una parte importante de la vida» de los anunciantes, pero ¿quién juzga lo que es importante para los niños? Seguramente los niños tengan derecho a una vida sin anuncios...

En segundo lugar, afirma que «los anunciantes respetan a los niños. Las leyes y los códigos autorreguladores de toda la Unión Europea ya proporcionan la protección que nosotros, como sociedad, esperamos para nuestros hijos. Esto ya ha sido aprobado por un informe de la comisión europea.»

Sin duda, los anunciantes respetan a los niños como productos, como consumidores, pero es discutible que respeten el derecho a tener una infancia. Su objetivo es influir en las decisiones sobre la compra de los niños y de los padres a través de una mezcla sumamente compleja de anuncios por televisión, libros, prensa, etc., marketing vírico, manipulación de la presión ejercida por grupos de la misma edad, puntos de venta del material, vídeos, éxitos taquilleros, teléfonos móviles e Internet. Según el director de Saatchi and Saatchi Interactive, Internet «... es un medio sin precedentes para los anunciantes... Probablemente no haya ningún otro producto o servicio al que podamos igualar en términos de captar el interés de los niños...». El servicio de Kid Connection (conexión con los niños) de Saatchi and Saatchi afirma lo siguiente: «En Kid Connection estamos comprometidos con entender a los niños: sus motivaciones, sus sentimientos y sus influencias. Hemos de cumplir nuestra misión de conectar a nuestros clientes con el mercado infantil, a base de programas que igualen los objetivos económicos de nuestros clientes con las necesidades, los impulsos y los deseos de los niños... La tecnología interactiva ocupa un primer plano en la cultura infantil, pues nos permite acceder a la vida contemporánea y comunicarnos con ellos en un entorno al que puedan llamar suyo». (Citado de Centre for Media Education, «Web of Deception: Threats to Children from Online Marketing, www.cme.org». La segunda cita de Saatchi está reproducida de *Marketing to Children*, Sharon Beder http://www.uow.edu.au/arts/sts/sbeder/children.html)

Saatchi and Saatchi no son los únicos que «respetan» a los niños, pues los que hacen anuncios para niños se valen de antropólogos y psicólogos especialistas en «investigación psicocultural de la juventud» para analizar cómo utilizan los niños Internet, cómo reaccionan ante las imágenes y para averiguar qué es lo que les importa. Nintendo, en Estados Unidos, entrevista a 1.500 niños cada semana.

Joe Lamb no sólo afirma que los anunciantes «respetan» a los niños, sino que las leyes y los códigos de autorregulación europeos son buenos, y que un informe de la comisión europea aprueba el actual sistema de regulación. No menciona que el informe sobre la ley de la empresa Bird and Bird's para la Unión Europea no examinó todo el impacto que causan los anuncios en los niños, como hubiera deseado, entre otros, el ministerio de cultura sueco, sino que la limitación de los términos de referencia del informe Bird fue el resultado de una feroz presión comercial.

En tercer lugar, Joe Lamb afirma que la restricción de los anuncios televisivos dirigidos a niños «inevitablemente dará por resultado el empobrecimiento de la calidad y de la cantidad de la televisión infantil».

Sin embargo, este último punto es contrario a la restricción de los programas infantiles de la televisión BBC, que no tienen anuncios desde hace tiempo (www.isba.org.uk).

ISBA está contrarrestando activamente la prohibición o restricción de la publicidad a través del Advertising Education Forum in Europe (www.aeforum.org) y respalda al Children's Programme of the Food Advertising Unit (www.fau.org.uk). Este último intenta hacer frente a la percepción pública de los vínculos que hay entre los anuncios televisivos de comida basura y refrescos y la obesidad infantil, argumentando que hay otros muchos factores ajenos a la televisión que contribuyen a elevar los niveles de obesidad. (Por otro lado, argumentan que la publicidad del tabaco puede ser un factor que contribuya a que se fume más y a enfermar de cáncer.) ISBA y algunos fabricantes de golosinas apoyan también a Media Smart, un programa sobre el manejo de los medios cuyo objetivo es educar a los niños en materia de publicidad.

Los miembros de ISBA tienen un gasto total en comunicaciones de marketing cercano a los 10 billones de libras al año; de ahí que tengan enormes intereses creados en la publicidad dirigida a los niños. Así pues, presionar para restringir los anuncios dirigidos a los niños depende de los padres, los educadores, los profesionales de la salud, los psicólogos infantiles, los médicos y también aquellos anunciantes particulares que no estén satisfechos con el culto a la publicidad en el que están sumiendo a los niños. Esto se puede hacer reuniéndose los políticos nacionales y europeos, organizando encuentros públicos y haciendo boicot a las compañías particularmente ofensivas, así como escribiendo cartas a los diputados y eurodiputados, para que prohíban toda clase de publicidad dirigida a niños menores de doce años. Otro paso que se podría dar es usar el poder de los accionistas para forzar a las compañías a que introduzcan una política publicitaria ética que respete a los niños como una «zona libre de anuncios».

Apéndice 3

Movimiento, salud y sugerencias ergonómicas para el uso del ordenador

La vida y el estilo de trabajo occidentales son cada vez más sedentarios, lo que acarrea los consiguientes riesgos para la salud. Como cada vez se hace más uso de los ordenadores, hace falta investigar mucho más los efectos que producen en la salud, y esa investigación ha de ser efectuada por departamentos especializados y contemplada como un todo.

Los médicos, los osteópatas, los optometristas, los quiroprácticos y otros especialistas de la salud están asistiendo a un incremento de las quejas procedentes tanto de niños como de adultos por dolor de espalda, malas posturas, problemas de visión y dificultades de movimiento. Sin embargo, se puede recurrir a toda una serie de deportes, artes marciales y rutinas de movimiento artístico y terapéutico. Se puede elegir entre disciplinas orientales del movimiento como el yoga, el tai chi, el aikido y el yudo, o bien aproximaciones occidentales como la técnica Alexander, el método Pilates, el Spatial Dynamics (Bothmer Gymnastics), el aeróbic o el eurythmy, por mencionar sólo unos pocos. Hay cursos de movimiento impartidos por los centros municipales de educación para adultos, las clínicas o los centros de salud complementarios.

Mucha gente saca tiempo a primera hora de la mañana o durante el día para hacer sus ejercicios preferidos como parte de su jornada, y esa rutina ha sido recomendada por los médicos como una medida preventiva o incluso curativa para los pacientes. De modo que, en caso de duda, pregúnteles qué le recomiendan; también conviene que se someta a chequeos regulares con el osteópata, el quiropráctico o el optometrista, por nombrar sólo unos pocos profesionales.

Note cómo le afectan los medios electrónicos

Yo le pedí consejo a mi quiropráctico, David Hubbard, y entre los dos ideamos tres pasos prácticos que puede seguir todo el mundo para cuidar mejor de su salud a la hora de usar los medios electrónicos: en primer lugar, pregúntese a sí mismo qué nota cuando utiliza los medios electrónicos; en segundo lugar, infórmese acerca de los posibles pasos a seguir, y en tercer lugar, llévelos a la práctica y perciba los cambios.

¿Qué nota en usted y en otros cuando usan los medios electrónicos?

Las observaciones de diferentes personas son las siguientes: «La televisión y los ordenadores me absorben toda la atención»; «Se acabó la conversación»; «Me producen somnolencia»; «Me dan ganas de acostarme»; «Me pone tenso»; «Soy incapaz de apagarlos»; «Se me secan los ojos y se me nubla la vista»; «No puedo recordar lo que vi u oí del programa o del ordenador»; «No puedo parar aunque me estén llamando para cenar»; «Pierdo la noción del tiempo; en cuanto empiezo a navegar por la red, las horas se me pasan volando».

Estas observaciones son muy comunes; todos sabemos que reaccionamos de alguna de esas maneras. Pero es importante, como primer paso, notar los efectos que le produce la pantalla, porque a cada uno le afecta de una manera diferente. Se trata de un proceso muy personal.

En términos generales, la pantalla tiene tres maneras de desincronizar su cerebro. En primer lugar, están los efectos sobre la lateralidad, sobre la dimensión izquierda/derecha del cuerpo y del cerebro. Le empieza a fallar la ortografía, pierde la habilidad para pensar clara y coherentemente, su diálogo interno se fragmenta y cada vez le resulta más difícil evaluar las cosas.

Una aproximación valiosa a este tipo de síntomas puede ser la gimnasia cerebral y los «Midline Movements», uno de los cuales es el «Cross Crawl» (véase G. y P. Dennison, *The Brain Gym, Teachers' Edition*). Las actividades laterales cruzadas pueden ayudar a reintegrar la función cerebral; moviendo el cuerpo de manera sincronizada, las funciones aisladas y desconectadas pueden interrelacionarse para crear un todo con más sentido.

Otra de las actividades es el «Lazy 8s», que estimula el desarrollo de la coordinación óculo-manual, utilizando al mismo tiempo los dos hemisferios.

En segundo lugar, puede perder la sincronicidad de las funciones cerebrales cognitivas, concentrándose en exceso o escasamente. Esta respuesta va asociada al cerebro de reptil y a la respuesta «ataque, huida, paralización» ante una amenaza. En la modalidad de la concentración escasa, su cerebro se desconecta, no puede prestar atención, está en un estado de distracción, nada lo absorbe y es incapaz de conectar.

En la otra modalidad de concentración, queda completamente absorbido por la pantalla, es incapaz de apartarse de ella, no puede apagarla, está atrapado, y el lóbulo frontal de su cerebro está fuera de combate.

Los efectos físicos de la concentración escasa o excesiva son tensión en los músculos anteriores o posteriores, o en ambos, del cuerpo. Esto puede producir síntomas como cuello y hombros tensos, rigidez en la parte dorsal de la espalda, pantorrillas y tobillos tensos, migrañas y RSI (daño por esfuerzo repetitivo).

Lo que ayuda a combatir los estados de concentración excesiva o escasa son las «actividades extensoras»: movimientos que contrarrestan los efectos musculares de la «modalidad de supervivencia». Activando suavemente algunos de los músculos implicados, el cuerpo puede regresar desde la reacción automática ante la amenaza hasta una respuesta equilibrada más apropiada. Un ejemplo de ejercicio sería el «Gravity Glider», que ayuda a restablecer de manera sensible la estabilidad pélvica y espinal y, por lo tanto, la postura del cuerpo (véase *The Brain Gym*).

Una tercera serie de reacciones constituyen la modalidad desconectada, que es cuando usted siente lo siguiente: «Estoy aquí sentado y sé que tengo que hacer otra cosa»; «Me he pasado horas navegando, pero ¿qué he hecho, cómo he podido perder tanto el tiempo?»; «No puedo ir a comer ¡justo ahora!»; «Aunque no hace ninguna falta que esté aquí, sencillamente no tengo voluntad para marcharme».

En este tipo de modalidad desconectada, usted puede saber lógicamente qué hacer, pero ser incapaz de utilizar la voluntad para hacerlo. Otra clase de respuesta desconectada es la del tecnófobo, que siente tal rechazo a usar la pantalla que no quiere saber nada de ordenadores.

Las actividades de la gimnasia cerebral son los «Energy Exercises» (ejercicios energéticos), que estimulan el flujo arriba/abajo entre el cerebro medio «sensible» y la corteza «racional».

El agua forma parte de una actividad muy sencilla dentro de este grupo. Todos dependemos del agua, que es vital para nuestra salud y bienestar; sin embargo, mucha gente está deshidratada y, por lo tanto, padece un mal funcionamiento mental y, quizá, una enfermedad física. Como el cuerpo es un organismo adaptable, si estamos crónicamente deshidratados, el sistema corporal deja de proporcionar los indicadores de la sed a los que normalmente respondemos; de ahí que a menudo respondamos con un «Tengo hambre» o «No tengo sed» o «No me gusta el agua». Lo que necesitamos es un pequeño consumo regular de agua clara.

Otra actividad de este grupo son los «Brain Buttons» (botones cerebrales); cuando se friccionan estos puntos, se estimula la circulación que va al cerebro y aumenta la actividad eléctrica entre los dos hemisferios.

Elementos ergonómicos en la oficina y en casa

Si bien es importante consultar con un profesional de la salud apropiado cosas como el dolor de espalda, la postura y la vista, el siguiente esquema le servirá para empezar a tomar medidas ergonómicas en casa y en el trabajo a la hora de utilizar el ordenador.

Diseñar su «puesto de trabajo informático» en la oficina y en casa es importante para su salud, y la ergonomía, como ciencia sobre cómo utilizar bien las herramientas, puede contribuir a un diseño saludable, de modo que usted encuentre el mejor acomodo. Todos somos diferentes, y la ergonomía es vital porque el dolor de espalda es la principal causa de baja laboral durante un tiempo prolongado: los días perdidos por culpa del dolor de espalda van en aumento. Cuando busque para usted y para su hijo un diseño del «puesto de trabajo informático» en la oficina o en casa, tiene que considerar los siguientes puntos:

1. Diseño del asiento: la altura del asiento no debe superar la altura de sus rodillas; las rodillas han de estar ligeramente más bajas que las caderas. La profundidad del asiento no debe ser mayor que la distancia entre las nalgas y las rodillas. La tapicería no debe ser resbaladiza; asegúrese de sentarse con un ángulo de 100° o 110°. Los pies deben apoyarse cómodamente sobre el suelo o sobre un reposapiés. Cuanto más alto sea el respaldo del asiento, mejor podrá apoyarse. La silla debería poder inclinarse 5°, moverse con ruedecillas y girar, todo ello fácilmente controlable desde la posición de sentado; además debería tener reposabrazos para apoyar los brazos y las muñecas.

2. La mesa de la oficina: la hilera central de las teclas irá alineada con el codo del usuario; para escribir, la mesa debe estar a 5 cm por encima de la altura del codo del usuario; debe haber suficiente espacio para las piernas entre los muslos y la mesa; algunos prefieren un teclado extraíble por debajo del nivel de la mesa.

3. Los CRT de la pantalla tienen efectos deslumbrantes, destellantes y fluorescentes; las pantallas planas o de cristal líquido son mucho más benignas y tienen menos efectos de esa clase.

   La pantalla debe tener un tamaño cómodo, una luminosidad y un contraste razonables, ningún destello, y debe estar colocada de modo que no deslumbre. La parte de arriba de la pantalla puede estar al nivel de los ojos o, mejor aún, a la altura de la parte superior de la cabeza, para evitar mirar hacia abajo o encorvarse. Lo mejor es que esté enfrente del usuario, a un mínimo de distancia de 50 cm.

   Lo ideal es que las pantallas no estén contra la pared, porque entonces no es posible mirar hacia la distancia y reenfocar su visión. Necesita ese potencial para enfocar a distancia porque la pantalla fija su visión en dos dimensiones. No existe un ajuste ocular para la distancia, lo cual provoca fatiga de los músculos oculares y bloqueo de la visión. Para ello basta con ver la mirada fija en las caras de la gente; si les pregunta algo, se echan hacia atrás, se sacuden un poco y dicen: «¿Qué decías?». Es conveniente mirar hacia la ventana, por encima o por un lado de la pantalla, o tener un cuadro de un paisaje con un horizonte al que mirar.

   Los ordenadores portátiles le exigen mirar hacia abajo. Si abusa puede ser arriesgado, de modo que es preferible tener un monitor o una pantalla separada.

4. El teclado ha de estar a la altura correcta del usuario, normalmente a la del codo; estará inclinado hacia delante 10° o 15° y tendrá un buen contraste de despliegue y teclas sensibles.

5. El ratón incorporado al teclado puede ser mejor que un ratón normal. El ratón ha de ser sensible al movimiento y hacer «clic» con facilidad; debe evitar moverlo demasiado, para lo cual conviene que use una almohadilla para el ratón. Si lo utiliza mucho, sus muñecas pueden necesitar un apoyo, como por ejemplo un reposabrazos; de lo contrario, se le pueden tensar los músculos del brazo; en ese caso, pruebe con el «ratón muerto», gire el brazo y la mano y descargue la tensión.

6. El software ha de ser fácil de manejar para el usuario, coherente y con las órdenes claras.
7. En cuanto al entorno de trabajo, preste atención al posible deslumbramiento del fondo, a la calidad del aire y a la temperatura de la habitación; descanse como mínimo cinco minutos cada hora y procure tener buena iluminación.

Finalmente, preste atención a las necesidades de su cuerpo y beba agua suficiente; en caso de duda, consulte a un profesional de la salud para que encuentre la mejor solución personal para usted (las directrices descritas con anterioridad son sólo un catálogo general).

David Hubbart, entrenador
de la International Faculty for Education Kinesiology,
McTimoney, quiropráctico, y Richard Brown,
Back in the Office, The Lansdown Clinic,
Stroud, Gloucestershire

Referencias

Batmanghelidj, Dr. F. (1992 y 2000) *The Body's Many Cries for Water*, Tagman Press.
Dennison, G. y P. (1986) *The Brain Gym, Teachers' Edition,* Estados Unidos.
Hannaford, C. (1995) *Smart Moves*, Great Ocean, Carolina del Norte.
Ergonomics Society, Reino Unido, www.ergonomics.org.uk
General Chiropractic Council, www.gcc-uk.org